KB053212

7~14세를 위한 교육 예술(GA311)

Die Kunst des Erziehens aus dem Erfassen der Menschenwesenheit(GA311)
Korean translation © 2022 by Green Seed Publications

이 책은 루돌프 슈타이너 전집 제311권을 내용 축약 없이 그대로 옮겼습니다.
이 책의 한국어판 저작권은 [사] 발도르프 청소년 네트워크 도서출판
푸른씨앗에 있습니다. 저작권법에 따라 한국 내에서 보호를 받는
저작물이므로 무단 전재와 복제를 금합니다.

7~14세를 위한 교육 예술

루돌프 슈타이너 강의 최혜경 옮김

1판 1쇄 발행 2022년 6월 30일
1판 2쇄 발행 2023년 11월 30일

펴낸곳 (사)발도르프 청소년 네트워크 도서출판 푸른씨앗

편집 백미경, 최수진, 안빛 번역기획 하주현
디자인 유영란, 문서영 홍보마케팅 남승희, 김기원, 이연정

등록번호 제 25100-2004-000002호
등록일자 2004.11.26.(변경 신고 일자 2011.9.1.)
주   소 경기도 의왕시 청계로 189-6 전화 031-421-1726
페이스북 greenseedbook 카카오톡 @도서출판푸른씨앗
전자우편 gcfreeschool@daum.net @greenseed-book

 www.greenseed.kr

값 20,000 원
ISBN 979-11-86202-46-3 (03120)

7~14세를 위한
교육 예술

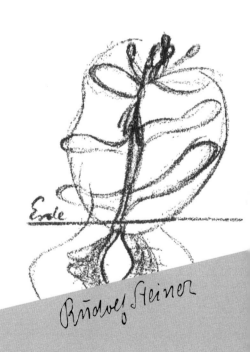

Erde

Rudolf Steiner

차례

루돌프 슈타이너의 강의록을 읽기 전에

인지학적 정신과학**01**의 근거를 형성하는 데는 양 기둥이 있다. 그 중 하나는 루돌프 슈타이너가 글로 써서 세상에 내보낸 것들이다. 이에는 처음부터 단행본으로 저술한 책 외에도 서간문과 논설문 등이 해당한다. 다른 기둥은 루돌프 슈타이너가 1900년부터 1924년까지 신지학 협회(나중에는 인지학 협회) 회원들과 일반인들을 대상으로 한 약 6000여 회의 강의 내용이다. 슈타이너 자신은 미리 쓴 원고 없이 자유롭게 강의한 내용이 활자로 인쇄되어 전파되는 것을 전혀 원하지 않았다. 슈타이너의 강의 방식을 고찰해 보면 그 이유가 분명해질 것이다. 강의란 보통 연사가 미리 정한 내용을 청중의 영적인 상태와 무관하게 전달하는 것이다. 슈타이너는 청중의 영적인 요구 사항을 직접적으로 강의에 참작했다. 청중의 '영혼생활 속에 일어나는 울림을 귀 기울여 듣고' 그렇게 '듣고 있는

01　인지학적 정신과학_ "인간 존재 속의 정신적인 것을 우주 속의 정신적인 것으로 인도하는 인식의 길"(출처 『인지학적 기본 원칙』 GA26) 정신과학은 신비주의적으로 모호하지 않고, 현대 자연과학 방법과 똑같이 완전한 의식의 명료한 사고를 통해 학문적으로 정확하게 정신세계에 접근하도록 한다.

것 바로 그 한복판에서 생생하게 공생하는 동안 강의의 골조가' 생겨났기 때문에, 그런 전후 문맥에서 시간적, 공간적으로 완전히 분리된 책은 실제의 강의과 거리가 먼 것이 될 위험이 다분하다. 바로 그래서 슈타이너는 '말로 한 표현이 말로 한 그대로 남아 있기를' 바랐다. 그런데 슈타이너의 그런 바람과는 달리 세월이 흐르면서 청중이 강의 중에 받아 적은 필사본이 꾸준히 확산되었다. 게다가 그 내용이 불완전하고 심지어는 틀린 부분도 있었기 때문에, 슈타이너는 그런 필사본을 어떤 식으로든 교정해야 하는 상황에 있었고, 그 과제를 마리 슈타이너에게 맡겼다. 속기사 선택, 출판을 위한 문장 검토, 모든 원고와 필사본 관리 등의 임무를 맡은 마리 슈타이너는 후일 발행을 위한 기준 노선을 제시했다. 현재까지 루돌프 슈타이너 유고국이 다소 간의 차이가 있다 해도 그 기준에 따라 약 360여 권의 전집을 발행했다. 루돌프 슈타이너는 시간이 부족해 필사본 중 극소수만 교정할 수 있었다. 그러므로 강의록을 읽는 독자는 '내가 검토하지 않은 필사본에 부정확한 부분이 있으리라'는 슈타이너의 말을 반드시 염두에 두어야 한다.

일러두기

'런던에 신설되는 발도르프학교 교사를 위한 교육학 강좌'라는 제목의 이 강의에 관해 루돌프 슈타이너는 다음과 같이 설명했다.

"내가 이 교육학 강좌에서 염두에 두는 것은 발도르프학교를 모범으로 삼는 영국 초등학교 교사들이 일종의 연수 과정을 거치도록 하는 것이다. 교육자에게 필수적인 의향, 즉 교육 예술을 실천하는 데 필수불가결한 영혼 상태를 밝히고자 노력할 것이다. 개별적 교육 부문과 수업 과목에 대한 방법론적 사항을 제시하고, 모든 것의 초점은 진정한 인간 인식을 근거로 하는 실질적 교수법을 설명하는 데 맞출 것이다."

(인지학 소식지 1924년 8월 24일자 참조. 『일반 인지학 사회와 정신과학을 위한 자유 대학 설립, 괴테아눔 재건축』 GA260a, 366쪽 참조)

교육학 강의로는 마지막인 이 강의에서 루돌프 슈타이너는 그 전 몇 해 동안의 수많은 교육학 강의에서 언제나 새로운 관점에서 설명한 것을 일목요연하게 요약하고 있다.

1. 원문은 전문 속기사인 헬레네 핑크Helene Finckh가 속기해서 번역한 문장을 근거로 한다. 제5판 발행 시 다시 속기 원본과 비교했다.
2. 본문의 그림은 루돌프 슈타이너의 그림을 기반으로 한다.
   이 강의를 할 때 흑판에 검은 종이를 붙였기 때문에 원래 흑판 그림이 남아 있으며, 『루돌프 슈타이너, 강의 흑판 그림』 제XXI권에 실려 있다.
3. 각주 중 옮긴이와 편집자의 주를 제외한 다른 주는 모두 원서 발행자의 주석이다.
4. 본문에서 GA는 루돌프 슈타이너 전집 목록이다.

첫 번째 강의

1924년 8월 12일

교육과 관련한 현시대 상황의 특성
진정한 인간 인식의 불가피성
육체로 태어남
유전과 개인성
이갈이를 하기 전 아이의 본질
격변의 시기, 이갈이
아이의 발달 단계에 따른 교육 과제

7~14세를 위한 교육 예술

01.	사랑하는 여러분! 마침내 이곳 영국에서도 인지
학적 의미에서 학교 건립을 생각할 수 있을 만큼 상황
이 진척된 것을 보니 깊은 충족감이 저를 사로잡습니
다. 이는 교육 제도 역사에 실로 의미심장한 획을 긋는
사건이 될 것입니다. 이렇게 말하면 당연히 겸손하지
못하다는 질책을 받을 테지요. 그래도 교육 예술과 수
업 예술을 위해 인지학적 토대에서 나와야 할 모든 것
은 그 근저에 정말로 괄목할 만한 것이 있습니다. 그리
고 인지학적 교육학에 특별한 어떤 것이 근거로 놓여
있다는 사실을 진심으로 인정하는 차원에서 여기에
교사진의 첫 골조가 실제로 형성되었다니 반가운 마
음을 금할 길 없고, 그저 환영할 따름입니다. 우리가 인
지학에 관해 이야기한다면, 그것은 어떤 광적인 개혁
사상에 따라 교육 제도를 뜯어고치는 게 불가피하다
는 의도에서가 아닙니다. 우리는 인류 문화 발달을 체
험하고 느껴서 생겨나는 것을 말합니다.

02.	19세기가 지나는 동안, 특히 19세기 말경에 극히

훌륭한 인물들이 교육 예술을 위해 아주 많은 것을 이룩했다는 사실을 우리는 의식하면서 말합니다. 그런데 문자 그대로 최상의 의도에서 나온 것조차 다음과 같이 말할 수밖에 없는 방식으로 일어났습니다. "교육 제도 영역에서 가능한 모든 것을 시도했다. 그런데 진정한 인간 인식은 없는 상태에서 했다." 인간 교육에 관한 사상은 시대를 제대로 타지 못했습니다. 15세기 이래 모든 분야를 지배해 왔으며 현재에도 지배하고 있는 물질주의로 인해 진정한 인간 인식이 생겨날 수 없는 시대로 인간 교육에 관한 생각이 떨어져 들었습니다. 그래서 교육 개혁에 대한 생각을 표현할 때마다 언제나 사상누각을, 아니 바닥이 전혀 없는 상태에서 집을 짓는 격이 되었습니다. 사람들은 인생이 어떤 모양을 띠어야 하는지에 대해 스스로 형성한 온갖 감정과 편견을 가지고 교육 원칙을 만들어 냈습니다. 하지만 인간을 그 전체성에 따라 알아보고 다음과 같이 질문할 가능성은 전혀 없습니다. "인간이 저 세상에서 이 세상으로 내려올 때, 신이 부여했기에 그 본질 속에 박혀 있는 것을 어떤 방식으로 드러나게 할 수 있는가?" 근본적으로 바로 이것이 일단 추상적으로 던져질 수 있는 질문이며, 이에 대한 구체적인 대답은 신체, 영

첫 번째 강의

혼, 정신을 고려하는 진정한 인간 인식을 근거로 할 때만 얻을 수 있습니다.

03.　　　오늘날 인류가 처한 상황을 보면, 신체에 관한 인식은 대단히 포괄적으로 발달되어 있습니다. 생물학, 생리학, 해부학에서 인간 신체에 관해 굉장히 발달된 지식이 나왔습니다. 그런데 우리가 영혼 인식에 도달하려 하면, 오늘날 학계 의견으로는 극복할 수 없는 장벽에 부딪치고 맙니다. 왜냐하면 영혼과 관계하는 모든 것이 오늘날에는 단어에, 명칭에 불과하기 때문입니다. 심지어 사고, 감성, 의지 같은 주제에서도 —오늘날 일반 심리학을 주시해 보면— 실재를 더 이상 건드리지 않습니다. 사고, 감성, 의지 등 단어는 그대로 있습니다. 하지만 영혼 안에서 실제로 지배하는 것 중에서 사람이 그 단어로 표현하는 것을 위한 관조는 더 이상 존재하지 않습니다. 여러분도 알다시피, 오늘날 심리학자가 사고, 감성, 의지에 관해 말하는 내용 모두가 실은 어설프고 초보적이기 때문입니다. 심리학자들이 그런 주제에 대해 말을 하면, 흡사 생리학자가 인간에 대해 일반적으로 말할 때처럼 들립니다. 그러니까 생리학자가 인간의 폐나 간에 대해 말하면서 아동과 노인의 차이를 전혀 고려하지 않고 일반적으로 싸잡아 말할 때처럼

들립니다. 신체에 관한 학문은 상당히 진보했습니다. 간이나 폐 등 유기체 기관에 관해 말하면서, 심지어는 머리카락같이 하잘것없는 것에 대해 말할 때도 아동과 노인 사이의 차이에 주의를 기울이지 않는 생리학자는 없습니다. 그 모든 것을 반드시 구분합니다. 그런데 사고, 감성, 의지를 다룰 때는 사람들이 그저 단어만 내뱉을 뿐 그 실재는 파악하지 않습니다. 예를 들어서 의지나 사고를 영혼 속에 등장하는 그대로 보면, 의지는 아직 어린 반면에 사고는 늙어 있다는 사실을 알아보지 못합니다. 사실 영혼 속에 사고는 늙은 의지며, 의지는 아직 어린 사고입니다. 그래서 사람이 영혼 속에 지니는 모든 것에 젊음과 늙음이 공존합니다.

04.　　　우리는 의심의 여지없이 아동기부터 영혼 속에 어린 의지와 나란히 늙은 사고를 지니고 있습니다. 아동기에 이미 그 양자가 동시에 존재합니다. 네, 이것은 실재입니다. 하지만 오늘날에는 신체의 실재에 관해 말할 때와 같은 의미에서 영혼의 실재에 관해 말하는 사람이 한 명도 없습니다. 그래서 교사가 아무 도움 없이 어찌할 바를 모르는 채 아이들 앞에 섭니다. 아이와 노인을 구분할 줄 모르는 의사가 있다고 한번 상상해 보십시오. 당연히 그런 의사는 환자를 어떻게 치료해야

할지 모를 것입니다. 오늘날 교사는 영혼에 관한 학문이 전혀 없기 때문에 인간 신체에 관해 자신 있게 말할 수 있는 의사와 동등한 위치에 있지 못합니다. 그리고 정신에 이르면, 거기에는 아무것도 없습니다. 그것을 위한 단어조차 제대로 없기 때문에 그에 관해서는 말할 것이 전혀 없습니다. 단 하나의 단어만 있을 뿐입니다. 정신, 이 단어가 말해 주는 것도 별로 없습니다. 그러나 정신을 위해서는 사실 이 외에 다른 단어는 없습니다.

05.   현시대의 의미에서 인간 인식에 관해 거론하는 것은 실제로 불가능합니다. 여기에서 그리 어렵지 않게 다음과 같이 느낄 수 있습니다. "교육의 모든 것은 올바르게 진행되고 있지 않다. 여러 가지가 개선되어야 한다." 그런데 인간에 대해 아는 것이 전혀 없는데 어떻게 개선을 한다는 말입니까? 여기저기에 등장한 교육 개혁에 대한 생각이 최상의 의지로, 그야말로 최선의 의지로 고무되었다 해도, 그런 것에는 인간에 대한 인식이 전혀 담겨 있지 않습니다.

06.   그런 사조가 심지어 우리 인지학계 내에서도 감지됩니다. 오늘날 사람들을 인간 인식에 이르도록 도울 수 있는 것은 과연 무엇입니까? 인지학입니다! 이는

꽝신적인 종교성을 근거로 하는 말이 전혀 아닙니다. 오늘날 인간 인식을 얻고자 하는 사람에게는 인지학을 수용하는 길 외에 다른 방도가 없습니다. 그런데 인간 인식을 근거로 수업을 하려면, — 꽝장히 자연스러운 일인데 — 그 인간 인식을 습득해야 합니다. 무엇이 자연스러운 일입니까? 인지학을 통해 인간 인식을 습득하는 것입니다. 오늘날 어떤 사람이 새로운 교육학의 근거에 대해 질문하면 무엇을 말해 주어야 합니까? 다름 아니라 바로 인지학입니다! 새로운 교육학의 근거인 인지학! 네, 그런데 우리 중 다수가 가능한 한 인지학을 부정하고, 인지학 없이 교육학만 선전하려고 애를 씁니다. 새로운 교육학의 배후에 인지학이 있다는 사실을 쉬쉬하며 숨기려고 합니다.

07.　　독일 속담에 이런 말이 있습니다. "내 가죽옷을 좀 세탁해 줘, 그런데 물에 젖지 않도록 해." 이 분야에서 실행되는 아주 많은 일이 그런 식으로 이루어집니다. 다른 무엇보다도 진실을 말하고 진실을 생각해야 합니다. 그래서 오늘날 어떻게 훌륭한 교육자가 될 수 있느냐는 질문을 받으면, 인지학을 출발점으로 삼으라고 말해 주어야 합니다. 인지학을 부정해서는 안 됩니다. 반드시 인지학을 통해서 인간 인식을 습득해야 합

니다.

08.　　현대 문명 생활 안에 사는 우리에게 인간 인식은
없습니다. 이론은 있지만 세계도, 인생도, 인간도 생생
하게 이해하지는 못합니다. 그것을 진정으로 이해한다
면, 생활에서 실천하게 됩니다. 그러나 오늘날에는 생
활 실천도 없습니다. 누가 가장 비실용적인 사람인지
아시는지요? 학자는 요령도 없고 세상사에 어둡다고
하는데, 가장 비실용적인 부류는 학자가 아닙니다. 사
람들이 특히 학자의 경우 그런 면을 알아채는 것일 뿐
입니다. 가장 심한 이론가, 가장 심하게 비실용적인 사
람을 만나면, 그렇다는 것을 알아채지 못합니다. 예를
들어서 산업가나 금융인이 그런 실용주의자입니다. 실
용적인 생활 문제를 이론적인 생각으로 지배하는 사
람들이 바로 그들입니다. 오늘날 은행은 완전히 이론
적인 생각에서 만들어졌습니다. 은행에 실용적인 것이
라고는 전혀 없습니다. 금융 전문가가 일은 그렇게 되
어야 하고, 실용적인 사람은 그렇게 한다고 말하기 때
문에 사람들이 전혀 눈치채지 못할 뿐입니다. 사람들
은 그런 말을 믿고 따릅니다. 그런 것이 완전히 비실용
적으로 작용하기 때문에 인생에 어떤 해악을 끼치는지
눈치채지 못합니다. 오늘날 실용적인 생활은 완전히 비

실용적입니다. 하필이면 실용적인 생활이 모든 분야에서 완전히 비실용적입니다.

09.　　파괴적인 요소가 점점 더 많이 스며들어서 마침내 현대 문명이 완전히 해체되고 나면, 사람들은 그제야 그 비실용성을 알아볼 것입니다. 상황이 계속 이렇다면, 세계 전쟁은 단지 시작일 수 있습니다. 세계 전쟁은 진정한 의미에서 비실용성으로 인해 일어났습니다. 그런데 그 전쟁은 그저 시작에 불과합니다. 문제는 계속해서 잠만 자서는 안 된다는 것입니다. 특히 교육과 수업 제도 분야에서 계속해서 잠을 자서는 안 됩니다. 관건은 신체, 영혼, 정신에 따라 인간 전체를 주시하는 교육을 수용하는 것입니다. 그러므로 먼저 인간의 신체, 영혼, 정신을 배워 올바르게 인식하는 것이 참과제입니다.

10.　　우리에게 허락된 이 단기 강의는 신체, 영혼, 정신과 관계하는 가장 중요한 주제를 다루어서 수업과 교육에 직접 흘러들도록 하는 데 유일하게 중점을 두고자 합니다. 단, 여러분이 시작부터 곧바로 받아들여야 할 첫 번째 요구 사항은 외적인 시각으로도 인간 전체를 보고자 성심성의껏 노력하는 것입니다.

11.　　오늘날 교육 원칙은 어떤 식으로 형성됩니까? 아

이들을 보면서 말합니다. "아이들은 이러저러하다. 그러므로 이러저러한 것을 배워야 한다." 어떻게 하면 최상으로 수업을 해서 아이가 빨리 이러저러한 것을 배울 수 있는지 생각해 냅니다. 그렇다면 아동이란 과연 무엇입니까? 아동이란 보통 열두 살 정도 될 때까지의 아이를 의미합니다. 그런데 스무 살이 될 때까지 아동이라 해도 괜찮습니다. 사실 그런 것은 아무 문제도 되지 않습니다. 결국 언젠가는 조금 다른 사람이 되기 마련입니다. 언젠가는 늙은이가 되지요. 인생 전체가 합일성입니다. 그리고 우리는 아이만 주시해서는 안 됩니다. 인생과 인간 전체를 보아야 합니다.

12.   우리 학급에 아주 창백한 아이가 있다고 한번 가정해 봅시다. 창백한 아이는 제가 풀어야 할 일종의 수수께끼가 되어야 합니다. 아이가 창백한 데에는 여러 가지 이유가 있겠지만, 그 아이의 상태가 다음과 같다고 합시다. 학교에 갓 입학했을 때는 발그스름하고 건강한 얼굴을 하고 있었는데, 제가 가르친 후로 창백해졌습니다. 제가 그 사실을 인정합니다. 이제 아이가 창백해진 원인을 찾아낼 수 있어야 합니다. 아이에게 기억해야 할 과제를 너무 많이 내 주었다는 생각이 떠오를 것입니다. 제가 아이의 기억력을 혹사한 것이지

요. 그 수업 방법을 벗어나지 못한다면, 저는 교육학적 근시안입니다. 아이가 창백하든 발그스름하든 전혀 신경 쓰지 않고 무슨 일이 있어도 그 방법으로 수업을 해야 한다고 생각하고 계속해서 그 방법을 고수하면 아이는 창백해집니다.

13.   아이가 50세가 되었을 때 상태를 관찰할 능력이 제게 있다면, 필시 끔찍한 경화증으로 고생하는 것을, 동맥 경화에 걸린 것을 볼 수 있을 것입니다. 그 사람은 왜 자기가 그런 병에 걸렸는지 모릅니다. 8, 9세 아이에게 기억해야 할 것을 듬뿍 주면 그렇게 됩니다. 오십이 된 어른과 8, 9세 아이는 서로 연결되어 있습니다. 인간은 그렇습니다. 우리가 아이와 하는 활동이 40~50년 후에 어떤 결과를 가져오는지 알아야 합니다. 인생은 합일성이기 때문입니다. 인생은 서로 연관되어 있기 때문입니다. 아이에 대해서만 잘 안다고 해서 전부가 아닙니다. 우리는 인간을 알아야 합니다.

14.   이제 다른 것을 봅시다. 제가 반 아이들에게 훌륭한 정의를 가르치려고 온갖 노력을 한다고 한번 가정해 보십시오. 이것은 사자고, 저것은 고양이라는 등 정의 내리기를 통해 가르친 개념이 아이 속에 꽉 박혀 있습니다. 아이가 그 개념을 죽을 때까지 그 모양 그대

로 유지해야 합니까? 오늘날 우리는 영적인 것도 성장해야 한다는 사실에 대해 아는 바가 전혀 없습니다. 제가 아이에게 언제까지나 옳은 것으로 남아야 할 개념을 가르치면서 — 옳지 않은 것이 어디에 있습니까? — 그 개념이 인생 전체를 통해 보존되어야 한다고 생각한다면, 이는 아이가 세 살 때 신발을 사면서, 앞으로도 그 치수의 신발을 계속 사겠다고 생각하는 바와 똑같습니다. 아이는 자라고, 신발은 더 이상 맞지 않을 것입니다. 계속해서 아이에게 작은 신발을 사 주어서 발이 자라지 못하도록 한다면, 언제나 세 살 때 신발만 신긴다면, 사람들은 그렇게 하는 저를 야만적이라 비난할 것입니다! 그런데 우리는 영혼과 관련해서 그런 식으로 일합니다. 아이와 함께 성장하지 않는 개념을 아이에게 가르칩니다. 변화하지 않고 그대로 머무는 개념을 아이에게 줍니다. 아이와 함께 자라야 할 개념을 주어야 함에도 불구하고 자라지 않고 그대로 머무는 개념으로 아이를 괴롭힙니다. 아이가 습득한 개념에 아이 영혼을 계속 짓눌러 넣는 것이지요.

15.   이는 교육학에서 인간에 대한 추상적인 개념이 아니라 살아 있으면서 성장하는 인간 전체를 주시해야 한다는 요구 사항과 가장 피상적인 방식으로 연결되어

있는 것들입니다.

16. 　　인생 전체가 하나로 연결되어 있다는 올바른 관조가 생겨나면, 그때 비로소 개별적인 연령대가 얼마나 다른지도 알아봅니다. 이갈이를 하기 전과 그 후의 아이는 완전히 다른 존재입니다. 물론 이런 것을 볼 때 조야한 판단이나 생각을 근거로 삼아서는 안 됩니다. 위에는 한가운데에 코가 붙은 머리가 있고 아래에는 두 발이 있는 존재가 인간이라 여긴다면, 이갈이를 하기 전 아이도 이미 두 발이 달려 있고 얼굴 한가운데에 코가 있는 존재라 말할 것입니다. 하지만 인생에서 섬세한 차이를 관찰할 능력이 있다면, 이갈이를 하기 전과 후의 아이는 완전히 다른 존재라는 것을 알아볼 수 있습니다.

17. 　　인간이 출생하기 전 혹은 수태되기 전 정신세계 현존에서 삶의 습관으로서 지니고 있던 것이 어떻게 여전히 영향을 미치고 있는지, 그 여파가 얼마나 지속되고 있는지를 이갈이를 하기 전 아이에게서 분명하게 지각할 수 있습니다. 아이의 육체 자체가 거의 정신이라는 듯이 행동합니다. 왜냐하면 첫 번째 7년 주기에 있는 아이 안에는 정신세계에서 내려온 정신이 여전히 활발하게 일하기 때문입니다. 여러분은 이렇게 말

할 것입니다. "참으로 대단한 정신이로군! 정말로 광란 상태에 빠진 정신이야! 아이가 저렇게 소란스럽지 않나? 게다가 요령도 없이 서툴러서 할 줄 아는 것이라곤 하나도 없어. 태어나기 전의 삶에서 내려온 정신이 겨우 이런 것인가?" 다음과 같이 한번 상상해 보십시오. 현재 여러분은 그야말로 완벽하고 요령 있는 인간입니다. 그런데 앞으로 65℃ 정도 되는 방에서 살아야 한다는 판결을 받았다고 합시다. 여러분은 그 방에서 절대로 살아 남지 못할 것입니다. 아이의 정신은 지금 막 정신세계에서 내려와서 지상의 상황에 익숙해져야 하고, 올바른 행동이 무엇인지 배워야 합니다. 여러분은 아이의 정신이 이 세상에서 살기를 배우는 것에 비해 그 뜨거운 방에서 사는 게 더 어렵다고 생각할 것입니다. 정신은 완전히 다른 세계에 내려왔기 때문에, 게다가 지상에서 살기 전에는 지니지 않았던 신체를 걸머지고 있기 때문에, 우리가 흔히 아이들에게서 보는 것처럼 행동하는 수밖에 없습니다. 하지만 시간이 지나면서 차츰차츰, 매일, 매주, 매달 불명확했던 아이 얼굴에 어떻게 특정한 표정이 생겨나는지, 어떻게 아이의 서투른 움직임이 요령 있게 바뀌는지, 어떻게 아이가 주변 환경에 완전히 익숙하게 되는지 관찰할 줄 아는 사람은, 그렇게 만드는 것이 정신세계에서 내려온 정신이 육체와 차츰차츰 유사해지기 위해 노력하기 때문에 그렇게 된다는 것을 알아봅니다. 우리가 이렇게 관찰하면, 왜 아이들이 그런 상태에 있는지 이해가 갑니다. 뿐만 아니라 우리에게 보이는 그대로 아이 육체 속에서 작용하는 것이 정신세계에서 내려온 정신이라는 사실도 알게 됩니다.

18.　　　바로 이런 까닭으로 정신의 비밀에 입문한 자에게는 사실 아동 관찰보다 더 흥미진진한 것은 없습니다. 아이를 관찰하면 지구가 아니라 하늘을 배웁니다. 이른바 말 잘 듣는 착한 아이, 얌전한 아이의 경우에만 그런 게 아닙니다. 착한 아이들 대부분은 육체가 무거워진 상태에 있는 것입니다. 아동기에 이미 육체가 무거워집니다. 정신이 무거운 육체를 제대로 받아들이지 못합니다. 그렇다 보니 아이가 시끄럽게 고함을 지르지 않습니다. 이런 아이들은 대부분 가만히 앉아 있기만 하고 소란을 떨지 않습니다. 육체가 저항하기 때문에 정신이 그런 아이들 속에서 제대로 활동하지 못합니다. 얌전한 아이라는 것은 아이의 육체가 정신에 저항하는 것입니다.

19.　　　얌전하지 않고 열심히 소란을 떨고 소리를 질러

서 사람을 진땀 나게 만드는 아이들 내면에는 정신이 활발히 활동합니다. 물론 아주 서툰 방식으로 활동합니다. 정신이 하늘에서 지상으로 막 내려왔기 때문입니다. 하지만 정신이 움직입니다. 정신은 신체가 필요합니다. 아이가 끔찍하게 악을 쓸 때, 그 악쓰는 소리가 실제로 이루 말할 수 없이 황홀하게 들릴 수 있습니다. 이유는 아주 단순합니다. 아이의 육체로 내려오는 정신이 초반에 어떤 불가사의한 일을 겪는지 체험할 수 있기 때문입니다.

20.   성인으로 살기는 그리 힘들지 않습니다. 주로 정신이라는 면을 고려하면 그렇습니다. 육체가 이미 완벽하게 준비되었기 때문입니다. 성인의 육체는 더 이상 저항하지 않습니다. 성인으로 살기는 아주 쉽습니다. 아이로 살기는 대단히 어렵습니다. 아이는 의식이 완전히 깨어나지 않았고 아직 잠을 자는 중이기 때문에 알아채지 못할 뿐입니다. 하지만 지상에 내려오기 전에 있었던 의식으로는 그것을 알아챌 수 있습니다. 그 의식 속에서 살아야 한다면 아이의 삶은 끔찍한 비극이 될 것입니다. 도저히 표현할 수 없는 비극이 될 것입니다. 그 이유는 다음과 같습니다. 사람이 지상에 내려옵니다. 초반에는 정신세계에서 지녔던 정신적 실체에 아

직 익숙한 상태에 있습니다. 인간은 자신의 카르마에 따라, 지상에서 보냈던 전생들의 결과에 따라 완전히 스스로 그 정신적 실체를 준비했습니다. 자신만의 정신적 옷을 입고 있는 격이지요. 인간은 지상에 내려와야 하고, ―이런 주제에 대해 저는 좀 통속적으로 말하고 싶습니다. 그래서 제가 세속적인 인생사로 이야기꽃을 피우는 사람들한테 보통 하듯이 이 문제를 다룬다 해도 용서하기 바랍니다. 주제가 주제니 만큼 그런 식으로 말해도 됩니다.― 지상에 내려올 때 육체를 하나 선택해야 합니다.

21.   육체는 여러 세대에 걸쳐서 준비됩니다. 먼 옛날에 한 부모가 있었고 아들이나 딸을 얻습니다. 그 아들이나 딸이 다시금 아들이나 딸을 얻어서 세대가 이어집니다. 육체는 유전을 통해 만들어집니다. 인간이 바로 그 육체로 이사해야 합니다. 육체 속에 들어가는 것이지요. 그렇게 하면서 갑자기 완전히 다른 상황에 들어섭니다. 여러 세대에 걸쳐 준비된 육체를 입어야 하기 때문입니다.

22.   물론 인간은 전혀 맞지 않는 육체를 얻지 않기 위해 이미 정신세계에서 이 세상에 영향을 미칩니다. 그럼에도 불구하고 대부분은 상당히 들어맞지 않는

육체를 얻기 마련입니다. 대부분 처음에는 육체가 잘 들어맞지 않습니다. 장갑 한 짝이 약간 작아서 여러분 손에 맞지 않는다고 합시다. 그 맞지 않는 정도가 일반적으로 육체가 영혼에 들어맞지 않는 만큼이라 합시다. 그러면 여러분은 분통을 터뜨리면서 그 장갑을 휙 내던져 버릴 것입니다. 문제는, 정신세계에서 내려와 육체를 가지고 싶어할 경우 여러분은 그저 주어진 대로 받아들여야 한다는 것입니다. 싫든 좋든 이갈이를 할 때까지 그 육체를 지녀야 합니다. 믿거나 말거나 인간은 7년에서 8년마다 육체의 외적인 물질을 갈아 치웁니다. 모두 다는 아니라 해도 적어도 본질적인 것은 갈아 치웁니다. 어릴 적에 얻은 유치가 빠지고 영구치가 납니다. 물론 그렇게 과격한 변화가 인간 유기체의 모든 부분에서 일어나지는 않습니다. 그래도 인간이 지상에 사는 동안 치아보다 더 중요한 부분이 7년마다 바뀝니다. 치아도 그런 식이라면 우리가 일곱 살에 이갈이를 하듯이 열네 살, 스물한 살 등 7년마다 계속해서 이갈이를 할 것입니다. 그러면 세상에 치과 의사는 존재하지 않겠지요.

23.   견고한 특정 기관은 그대로 머뭅니다. 하지만 부드러운 기관은 계속해서 변화되고 새로워집니다. 첫 번

째 7년 주기의 육체는 부모의 외적인 자연성을 통해 준비된 것입니다. 그것은 일종의 모형입니다. 예술가가 모사해야 할 모델을 앞에 두고 있듯이, 사람은 자신의 영혼과 더불어 이 육체를 마주 대하고 있습니다. 첫 번째 육체에서 이갈이와 더불어 뽑아내는 두 번째 육체, ─물론 차츰차츰 그렇게 합니다. 7년 내내 그 과정을 거칩니다.─ 바로 그것이 부모로부터 물려받은 모형에 따라 스스로 만들어 낸 육체입니다. 인간이 스스로 짓는 육체는 지상에 태어난 후 7년이 지나야 생깁니다. 오늘날 외적인 과학이 유전 등에 대해 말하는 것은 실재를 고려해 보면 정말 어설프기 짝이 없습니다. 우리가 실제로는 모형 육체를 얻고, 그것을 7년 동안 입고 다닙니다. 물론 인생의 첫 해에 벌써 유전된 육체를 밀쳐내고 죽이기 시작합니다. 그래도 그 과정은 7년 간 지속되어서 이갈이를 하고 나야 두 번째 육체를 얻습니다.

24.   허약한 개인성을 가지고 태어나는 사람이 있습니다. 허약한 상태로 내려와 두 번째 육체를 짓는데, 이들은 이갈이를 한 후에 입고 다니는 육체가 부모에게서 받은 첫 번째와 똑같습니다. 이때 흔히 부모를 그대로 찍어냈다고 말합니다. 그런 말은 진실이 전혀 아닙

니다. 두 번째 육체는 인간이 모형에 따라 짓습니다. 첫 번째 7년 주기에만 유전된 것을 지닙니다. 물론 우리 모두 허약한 개인이고, 그래서 아주 많은 것을 모형 그대로 짓습니다. 그런데 강한 개인성을 지닌 사람도 많이 있습니다. 그런 사람도 이 세상에 내려옵니다. 이들도 첫 번째 7년 주기에는 많은 것을 유전으로 받습니다. 그것을 유치에서 볼 수 있습니다. 유치는 유전에 길들어 있어서 아직 부드럽습니다. 영구치는 단단한 것도 제법 깨물 수 있고, 자체적으로 제대로 된 잇몸이 있습니다. 강한 개인성을 지닌 사람들은 그렇게 스스로를 제대로 지어냅니다. 이렇게 강한 아이 외에 열 살이 되었는데도 네 살 먹은 듯한 아이가 있습니다. 바로 모형을 그대로 따라하는 모방자이지요. 다른 아이들은 열 살이 되면 완전히 다르게 변해 있습니다. 강한 개인성을 지닌 아이는 움직이고 변합니다. 모형을 이용하기는 해도, 나중에는 독자적인 육체를 지어냅니다.

25.   이런 것을 주시해야 합니다. 사실이 어떤지 들여다보지 않고는, 유전이니 뭐니 그런 모든 것으로는 더 이상 나아갈 수 없습니다. 오늘날 과학이 말하는 유전은 사실상 인생의 첫 번째 7년 주기에 해당할 뿐입니다. 그 주기 이후에 한 인간에게서 유전된 것을 발견한

다면, 그것은 그 사람이 스스로 자유롭게 지은 것입니다. 모형 그대로 자기 몸을 지었다고 말할 수 있겠지요. 첫 번째 육체와 함께 유전 받은 것은 이갈이를 하는 동안 실제로 밀쳐 내집니다.

26.　　영혼이 정신세계에서 내려와 일단 육체라는 외적인 자연성에 익숙해져야 하기 때문에 처음에는 대단히 서투른 상태에 있습니다. 아이의 방자한 면이 실은 정말로 귀엽고 사랑스럽게 보여야 합니다. 물론 우리는 조금 꽁생원이 되어야 하고, 그 모든 방자한 언사를 그대로 두어서는 안 됩니다. 타락한 세상의 악마들이 어떻게 정신을 괴롭히는지 아이들에게서 가장 많이 알아볼 수 있습니다. 아이가 이 세상에 들어와야 합니다. 그런데 흔히 그렇듯이 이 세상은 아이에게 잘 들어맞지 않습니다. 만일 아이들이 세상에 들어서는 그 과정을 의식을 가지고 실행해야 한다면, 그것은 끔찍한 비극이 될 것입니다. 입문에 대해 어떤 것을 알아서 아이 내면에서 육체를 장악하는 것을 의식을 가지고 볼 수 있다면, 다음과 같이 말할 수 있을 뿐입니다. "근본적으로 정말 끔찍한 일이다. 익숙해지기 위해 가장 먼저 모든 뼈와 인대 구조를 스스로 만들어 내야 한다니, 정말로 끔찍한 비극이다." 다행스럽게 아이는 전혀 모릅

니다. 천만다행으로 아이가 그 과정을 의식하지 못하도록 문지방의 수호자가 보호하고 있습니다.

27.　하지만 교사는 알고 있어야 합니다. 교사는 깊이를 잴 수 없는 경외감을 가지고 아이 앞에 서야 하며, 신성이, 정신성이 지상에 내려오는 중이라는 것을 아이에게서 알아보아야 합니다. 중점은 이 사실을 깊이 명심해서 교육자가 될 출발점으로 삼는 것입니다.

28.　지상에 내려오기 전에 인간이 정신적, 영적 삶에서 어떠한지, 그리고 지상에 내려온 후 계속해서 어떻게 되어야 하는지, 양식 사이에는 커다란 차이가 있습니다. 교사는 아이에게서 정신세계의 여파를 보고 있기 때문에 그 차이를 판단할 수 있어야 합니다. 영혼으로 정신세계에 살았을 때는 전혀 지니지 않았기 때문에 아이가 이 세상에서 습득하기 힘든 것이 있습니다.

29.　여러분도 알다시피 지상에서는 사람이 자신의 육체 내부에 관심을 가질 계기가 거의 없습니다. 자연과학자와 의사는 피부로 둘러싸인 인간 내부가 어떻게 생겼는지 알고 있습니다. 하지만 대부분의 사람들은 심장이 어디에 붙어 있는지도 정확히 모릅니다. 심장이 몸속 어디에 있는지 물어보면 틀린 위치를 가리킵니다. 오른쪽 폐와 왼쪽 폐의 차이점을 물어보거나,

십이지장을 설명해 보라고 하면, 대부분 엉뚱한 대답이 돌아옵니다. 그에 반해 지상 생활에 내려오기 전 인간은 외부 세계에 대해 거의 관심이 없습니다. 자신의 정신적 내면에 더 큰 관심을 둡니다. 죽음과 새로운 출생 간의 삶에서는 거의 배타적으로 정신적 내면 생활에만 관심을 둡니다. 인간은 지상에서 살았던 전생의 체험에 따라 자신의 카르마를 형성하는데, 이때 기준은 정신적 내면 생활입니다. 정신세계에서 인간이 정신적 내면 생활에 두는 관심은 지상에서의 성향, 달리 말해 일방적으로 양성되는 경우 호기심이라 부를 수 있는 지식욕과 매우 거리가 멉니다. 지상에 내려오기 전에 인간은 지식욕, 호기심, 외부에 있는 것을 인식하려는 탐욕 등과 같은 것을 지니지 않습니다. 정신세계에서 인간은 그런 것을 전혀 모른다고 할 수 있습니다. 그래서 아이에게는 그런 것이 거의 없습니다.

30.   반면에 아이는 주변 환경의 삶을 지니고 있습니다. 지상에 내려오기 전 인간은 사실 완전히 외부 세계 속에서 삽니다. 세계 전체가 내면입니다. 달리 말해서 외부와 내면 간에 어떤 차이도 없습니다. 그렇기 때문에 외부 세계에 대한 호기심이 있을 수 없는 것이지요. 모든 것이 내면입니다. 그런데 그 내면에 대한 호기심

도 없습니다. 모든 것을 내면에 그저 지니고 다닙니다. 정신세계에서 인간은 그 상태를 자명한 것으로 받아들이며, 그 상태에서 삽니다.

31.　　　근본적으로 아이는 첫 번째 7년 주기에서 걷기, 말하기, 생각하기를 배웁니다. 그런데 지상에 내려오기 전에 했던 식으로 배웁니다. 여러분이 수업을 하면서 아이에게 어떤 단어에 대한 호기심이 생겨나도록 해 보십시오. 그러면 그 단어를 배우고 싶은 욕구를 아이에게서 완전히 몰아내고 만다는 것을 볼 것입니다. 여러분이 지식욕과 호기심을 염두에 두고 가르치면, 아이가 해야 할 것을 몰아내고 맙니다. 아이에게서 호기심을 불러일으키는 식으로 가르쳐서는 절대로 안 됩니다. 다른 식으로 일을 해야 합니다. 아이들을 여러분 내면에서 만개하도록 하고, 여러분은 아이들 내면에서 살아야 합니다. 아이가 슬기는 모든 것은 생생하게 살아 있습니다. 그 모든 것이 마치 아이 자신의 내면이라는 듯합니다. 아이의 팔이 아이에게 인상을 주는 것과 똑같이 여러분이 아이에게 인상을 남겨야 합니다. 여러분은 아이 육체의 연장延長이 되어야 할 뿐입니다. 그 다음에 아이가 이갈이를 하는 시기가 됩니다. 7세부터 14세까지 나이에 어떻게 호기심과 지식욕이 차츰차츰

생겨나는지, 어떻게 그 호기심이 점점 더 왕성해지는지 유의하면서 요령 있고 조심스럽게 대응해야 합니다.

32.   어린아이는 아무 호기심이 없는 두리뭉실한 포대입니다. 그래서 주변에 성인이 어떤 존재가 됨으로써 인상을 남기는 수밖에 없습니다. 밀가루 포대는 아무 호기심이 없습니다. 그와 마찬가지로 어린아이는 주변 환경에 아무 호기심이 없습니다. 그런데 밀가루 포대를 손으로 한번 꾹 눌러 보십시오. 그러면 손자국이 남습니다. 특히 밀가루가 잘 빻아진 경우라면 손자국이 더 선명하게 남습니다. 그와 같이 아이에게 인상을 남길 수 있습니다. 여러분이 남긴 인상은 어린아이에게 꼭 들러붙어 남아 있습니다. 아이한테 호기심이 있어서가 아닙니다. 밀가루 포대를 꾹 눌러서 손자국을 남길 때처럼 여러분이 아이들과 하나가 되었기 때문입니다.

33.   이갈이와 함께 비로소 상황이 달라집니다. 그러면 여러분은 아이가 어떻게 질문을 하는지에 유의해야 합니다. 이것은 뭐야? 별에도 눈이 있어? 별은 어떻게 볼 수 있어? 왜 별은 하늘에 있어? 할머니는 왜 코가 그렇게 비뚤어? 별것을 다 물어봅니다. 주변 환경에 호기심을 보이는 것이지요. 어떻게 그 나이 때 아이에게서 호기심과 주의력이 차츰차츰 생겨나는지, 섬세하

게 감지할 줄 알아야 합니다. 영구치와 함께 호기심도 생겨납니다. 아이가 호기심과 주의력이 생겨나는 연령대에 들어선 것이지요. 그러면 여러분은 그것에 응답해야 합니다. 우리가 아이와 함께 무엇을 해야 할지, 그에 대한 판단을 아이에게 맡겨야 합니다. 이는, 이갈이와 더불어 아이 내면에서 깨어나는 것에 대해 여러분이 고도로 생생한 관심을 지녀야 한다는 것을 의미합니다.

34.　　　이제 아이 내면에서 굉장히 많은 것이 깨어납니다. 아이가 이성적이라 호기심을 보이는 게 아닙니다. 일곱 살 먹은 아이는 전혀 이성적이지 못합니다. ─ 일곱 살 먹은 아이에게 이성이 있으리라 생각한다면 그것은 완전히 오판입니다. ─ 그 대신에 상상력이 있습니다. 교사는 바로 그 상상력을 이용해야 합니다. 교사가 '영적인 모유'라는 개념을 발달시킬 수 있는지에 모든 것이 달려 있습니다. 여러분도 잘 알다시피 아이가 태어나면 모유를 먹여야 합니다. 모유는 아이에게 필요한 모든 영양분이 들어 있는 음식입니다. 모유를 먹이면 영양 섭취가 충분히 이루어집니다. 여러분은 이갈이를 시작한 아이에게 어떤 것도 개별적으로 주어서는 안 됩니다. 모든 것은 영적인 모유가 되어야 합니다. 이갈

이를 하고 학교에 입학한 아이에게 제공되는 모든 것은 하나로 합일되어 있어야 합니다. 모든 것이 영적인 모유가 되어야 합니다. 첫 시간에는 읽기를, 그 다음 시간에는 쓰기를 가르친다면, 모유를 화학적인 두 부분으로 분리해서 한 가지를 먼저 먹이고 나머지는 그 다음에 먹이는 식과 똑같습니다. 읽기와 쓰기 등 모든 것이 하나로 합일되어 있어야 합니다. 영적인 모유, 이 개념이 초등학교에 입학한 아이들을 위해 반드시 고안되어야 합니다.

35.   이것은 이갈이를 한 연령대의 아이들을 위한 수업과 교육을 예술적으로 구성할 때만 생겨날 수 있습니다. 이 시기에는 모든 것이 예술성으로 가득 차 있어야 합니다. 쓰기 수업은 회화에서 생겨나게 합니다. ─내일 더 상세히 설명하겠습니다.─ 그림에서 쓰기를 예술적으로 도출해서 읽기로 넘어갑니다. 쓰기와 읽기를 간단한 방식의 산수와 함께 예술적으로 구성해야 합니다. 모든 주제가 하나로 합일되어야 합니다. 모든 주제가 일단 '영적인 모유'처럼 형상화되어야 합니다. 초등학교에 입학하는 아이들을 위해 우리는 바로 이런 것이 필요합니다.

36.   그리고 아이가 사춘기에 들어서면 '정신적 모유'

를 필요로 합니다. 오늘날 사람들에게 정신적 모유가 무엇인지를 가르치기란 굉장히 어렵습니다. 왜냐하면 이 물질주의 시대에 우리는 정신을 더 이상 지니지 않기 때문입니다. 그런데 이제 모유를, 심지어 정신적 모유를 만들어 내야 하다니 심히 난감한 일입니다. 결국 버르장머리 없이 구는 청소년들, 방자하기 이를 데 없는 소년과 소녀들을 그저 방치하는 것 외에 별도리가 없습니다. 오늘날 사람들은 정신적 모유가 하나도 없으니까요.

37.   오늘 저는 여러분이 일단 이 강의의 궤도에 들어서도록 도입만 말씀드리고 싶습니다. 내일 계속해서 고찰하면서 더 상세한 내용을 다루기로 합시다.

두 번째 강의

1924년 8월 13일

7~14세를 위한 교육 예술

01.　　어제 강의에서 아동 발달에 있어서 이갈이 같은 돌변을 어떻게 받아들여야 하는지 이야기했습니다. 인간이 이 세상에서 보내는 첫 번째 7년 동안에는 유전 혹은 유전된 형질이라 불리는 것이 직접 활동합니다. 더 나아가 유전된 형질은 첫 번째 7년 주기에서 두 번째 생명 유기체를 육체로 차츰차츰 지어냅니다. 인간의 두 번째 생명 유기체는 유전된 유기체를 모형 삼아 지어지는데, 대략 이갈이가 끝날 무렵에 완성된다고 할 수 있습니다. 정신세계에서, 그러니까 저 세상에서 내려오는 사람의 개인성이 허약하면, 두 번째 유기체는 유전된 유기체와 아주 유사하게 지어집니다. 그에 비해 개인성이 강하면 대략 7세부터 14세 사이 이갈이를 한 후부터 사춘기까지 어떻게 유전된 형질이 차츰차츰 극복되는지 볼 수 있습니다. 아이가 달라집니다. 심지어는 몸의 외양까지 변화합니다.

02.　　그런데 이 두 번째 7년 주기에 등장하는 영혼 특성을 추적해 보면 아주 흥미롭습니다. 이갈이를 하기

전 첫 번째 7년 주기에서 아이는 특정한 의미에서 전체가 감각 기관입니다. 여러분은 아이 전체가 감각 기관이라는 이 말을 문자 그대로, 있는 그대로 순수한 의미에서 받아들여야 합니다.

03. 예를 들어서 사람의 눈이나 귀를 관찰해 보십시오. 그런 감각 기관의 특성은 무엇입니까? 그것은 외부 세계에서 오는 인상을 섬세하게 수용한다는 것입니다. 눈을 관찰해 보면, 어떤 과정이 안구 속에 실제로 일어나는지 볼 수 있습니다. 첫 번째 7년 주기에서 아이는 특정한 의미에서 온전히 눈입니다. 저 바깥에 있는 대상물은 모두 —다른 모든 것은 일단 차치하겠습니다.— 안구 속에 그림을 만들어 냅니다. 외부 대상물이 안구 속에 거꾸로 된 그림을 만들어 낸다고 한번 상상해 보십시오. 진부한 물리학이 그렇게 가르칩니다. 그러니까 세상 저 바깥에 있는 대상물이 안구에 그림처럼 들어 있습니다. 물리학은 그 지점에 머물러 있습니다. 그 상태는 눈에 대해 알아야 할 것의 시작에 불과합니다. 눈 속에 그림이 만들어진다는 것은 가장 피상적인 물리적 사실에 불과합니다.

04. 물리학이 섬세한 관찰 감각으로 안구 속의 그림을 주시한다면, 무슨 일이 벌어지는지 발견할 것입니

다. 각 그림에 따라 안구 속 맥락막脈絡膜에 혈액 순환이 일어납니다. 각 그림은 그 양식에 따라 맥락막 전체의 혈액 순환에 영향을 미칩니다. 눈 전체가 그에 따라 조직됩니다. 이는 극히 섬세한 과정이라 보통 물리학에서는 고려 대상이 되지 않습니다.

05.　　첫 번째 7년 주기의 아동은 눈 자체입니다. 주변에서 ─폭발적이라고 합시다.─ 어른이 버럭 성을 내면, 아이는 몸 전체 속에 그 분노의 그림을 지니게 됩니다. 아이의 에테르체가 그림을 만듭니다. 그 그림에서 성인의 분노와 유사한 것이 전체 혈액 순환과 맥관脈管 신진대사 과정에 흘러듭니다.

06.　　첫 번째 7년 주기에는 실제로 그렇습니다. 그리고 유기체는 그에 맞추어 조직됩니다. 물론 이런 과정은 조야하지 않습니다. 아주 섬세한 어떤 것입니다. 아이가 버럭 성을 내는 아버지나 교사 수변에서 성장하면, 아이의 맥관 체계가 그 분노에 맞추어지고, 그것을 기준으로 삼습니다. 이렇게 이식된 소인素因에서 나오는 것이 평생 동안 남아 있습니다.

07.　　이는 아이에게 매우 중요한 안건입니다. 여러분이 하는 말이나 가르치는 내용은 아이에게 아무 인상도 남기지 않습니다. 여러분이 하는 말을 아이가 말로

모방한다는 듯한 인상을 주기는 합니다. 그런데 여러분이 어떠한지, 달리 말해서 여러분이 선량한 사람이라 그 선함을 몸짓이나 행동으로 보여 주는지, 혹은 성질이 고약한 사람이라 버럭 화를 내는 등 행동으로 좋지 않은 면을 드러내는지, 여러분 스스로 행하는 모든 것이 아이 내면에 파고듭니다. 바로 이것이 결정적 요소입니다. 아이는 온전히 감각 기관이고, 타인을 통해 내면에 인상으로 생기는 모든 것에 반응합니다. 그런 까닭에 아이는 무엇이 좋고 나쁜지, 이러저러한 여러 가지를 배울 수 있을 것이라고 믿어서는 안 됩니다. 어른이 아이 주변에서 하는 모든 행동은 아이의 유기체 안에서 정신, 영혼, 신체로 전환됩니다. 이 사실을 알고 있어야 합니다. 아이의 인생 전체를 위한 건강은, 어른이 아이 주변에서 어떤 행동을 하는지에 달려 있습니다. 아이가 발달시키는 경향은 어른이 아이 주변에서 하는 행동에 달려 있습니다.

08.　　　유치원에서 아이들과 함께 이런저런 것을 하라고 추천합니다. 그런데 그런 모든 것은 전혀 쓸모없습니다. 그런 식으로 유치원 수업을 위해 고안되는 것은 실로 믿을 수 없을 정도로 기지에 차 있습니다. 19세기에 유치원 교육을 위해 고안된 것들은 기가 막힐 정도

로 기지에 차 있다고 표현하고 싶습니다. 벌써 유치원에서 아이들에게 아주 많은 것을 가르칩니다. 그래서 대부분이 글을 읽을 수 있을 정도입니다. 종이에 활자 모양을 오려 내서 보여 줍니다. 아이들이 오려 낸 부분에 들어맞는 활자 모양을 찾아 넣어야 합니다. 그런 것이 유치원에서 행해집니다. 모든 것이 기가 막히게 기지에 차 있습니다. 때문에 사람들은 그런 것이 아이에게 쓸모 있다는 믿음에 쉽사리 빠집니다. 그러나 전혀 쓸모 없습니다! 실제로는 무용지물입니다! 그런 것으로 인해 아이의 영혼 전체가 손상됩니다. 신체 속 깊이까지 영향을 미칩니다. 건강에도 깊은 영향을 미쳐서 아이가 손상됩니다. 그런 유치원 교육으로 인해 인생에서 후일 영혼과 신체가 허약한 인간이 되고 맙니다.

09.   아이들은 그냥 유치원에 가서 교사가 하는 여러 가지 일을 따라 하면 됩니다. 정신세계에서 잉혼 존재로 사는 동안 습관들인 그대로 자신의 동력으로 교사의 행동을 모방하면 충분합니다. 그러면 아이들이 교사와 비슷하게 된다는 한계가 있기는 해도, 모든 것이 우리 자신에 달려 있게 됩니다. 우리가 아이들의 모범이 될 만한 인간이 되어야 할 뿐입니다.

10.   여러분은 첫 번째 7년 주기에 있는 아동을 위해

이 사실을 주시해야 합니다. 자신이 하는 말이나 외적인 행동을 도덕관으로 고찰하는 것은 중요하지 않습니다.

11.　　여러분이 굉장히 언짢은 표정을 하고 있어서 아이에게 괴팍한 사람이라는 인상을 주는지, 그런 것이 고찰 대상이 됩니다. 그런 것은 인생 전반에 걸쳐서 아이를 망가트리고 맙니다. 그래서 여러분은 교육자로서 특히 어린아이를 위해 반드시 인간 고찰과 인간 생활에 완전히 몰두해야 합니다. 어떤 수업 계획표를 만드는지는 아무 상관이 없습니다. 교사로서 여러분이 어떤 인간인지, 이것이 고려 대상이 됩니다. 우리 시대에 계획표 정도는 어렵지 않게 만들어 낼 수 있습니다. 사람들이 모두 매우 영리하기 때문입니다. 비꼬려고 하는 말이 아닙니다. 우리 시대에는 사람들이 정말로 영리합니다. 몇 사람만 모여도 수업이나 교육에서 이러저러한 것을 해야 한다면서 고안해 냅니다. 그러면 언제나 아주 영리한 것이 나오기 마련입니다. 저는 지금까지 한 번도 멍청한 교육 방침이나 수업 계획을 본 적이 없습니다. 언제나 더할 수 없이 똑똑한 것만 있었습니다. 그런데 중점은 그런 계획이나 방침의 유무가 아니라, 제가 암시한 방식으로 작용할 수 있는 사람이 학교에 있어야 한다는 것입니다. 바로 이 의향을 발달시켜

야 합니다. 아이 전체가 아직은 감각 기관인 나이에는 이 의향에 믿을 수 없을 정도로 엄청나게 많은 것이 달려 있기 때문입니다.

12.   이갈이를 마친 후의 아이는 이갈이를 하기 전만큼 전체가 감각 기관은 아닙니다. 벌써 3~4세 사이에 덜해지기 시작합니다. 하지만 그 나이가 되기 전까지 아이에게는 아주 기이한 특성이 있습니다. 대부분의 사람들이 전혀 모르고 있을 뿐입니다. 여러분은 달거나 신 음식을 먹으면 그 맛을 입 안에서, 혀에서 감지합니다. 아이는 젖을 먹으면서 몸 전체를 통과해 내려가는 젖 맛을 느낍니다. 왜냐하면 아이는 맛보기와 관련해서도 몸 전체가 감각 기관이기 때문입니다. 아이는 몸 전체를 통해서 맛을 느낍니다. 그리고 우리는 거기에서 기끔은 아주 기이한 경험을 할 수 있습니다.

13.   요즘은 아이들도 성인에 맞추어 행동하고, 이미 15~16세에 늦어도 20세가 되면 시들어서 싱싱함을 잃어버리기 때문에 좀 드문 편이지만 몸 전체가 감각 기관인 아이가 더러 있습니다. 우리 시대에도 — 물론 이런 아이에게는 쉽지 않은 시대지요 — 아이는 전체가 감각 기관이라는 것을 아직 경험할 수 있습니다. 저는 아주 어린 소년 한 명을 알고 있었습니다. 맛있어 보이

는 음식이 있거나, 누군가 그 소년이 맛있다고 생각할 음식을 주면, 사람들이 보통 음식을 대할 때처럼 군침만 흘리면서 다가오는 것이 아니라, 그 소년은 팔다리를 요란스레 휘두르며 다가왔습니다. 아이 전체가 미각이었습니다. 기이하게도 그 소년은 9~10세경에 훌륭한 오이리트미스트가 될 자질을 보였습니다. 오이리트미에 대단한 재능을 보였습니다. 음식을 보면 팔다리를 휘두르며 다가온 소년의 행동에 성향으로 들어 있던 것이 의지 기관 속에서 발달된 것이지요.

14.   여러분의 기분 전환을 위해 말하는 게 아닙니다. 이런 사례를 통해서 **어떻게** 관찰해야 하는지를 보여 주기 위해서입니다. 인생에서 누군가가 이런 것을 이야기해 주는 경우는 매우 드뭅니다. 하지만 이런 것은 매 순간 일어납니다. 사람들은 삶의 특이한 표현에 아무 관심없이 그저 스쳐 지나갑니다. 인생을 관찰하는 대신 교육을 어떻게 해야 할지 고안해 냅니다.

15.   인생은 아침부터 저녁까지, 하루 종일, 언제 어디에서나 흥미진진합니다. 가장 사소한 것조차 흥미진진합니다. 예를 들어서 후식으로 배를 먹는 사람을 한번 관찰해 보십시오. 두 사람이 있다면, 절대 같은 방식으로 먹지 않습니다. 언제나 다른 방식으로 먹습니다. 어

떻게 과일 그릇에 있는 배를 집어서 자기 접시에 올려 놓는지, 혹은 접시에 올려놓지 않고 직접 입으로 베어 먹는지 등, 그 행동에 인간의 전체적인 성격이 전개됩니다.

16.   삶에서 이런 관찰력을 양성했다면, 오늘날 학교에서 불행하게도 너무나 자주 만나는 섬뜩한 장면은 생겨나지 않았을 것입니다. 요즘에는 펜이나 붓을 제대로 잡는 아이를 거의 볼 수 없습니다. 제대로 관찰하는 감각이 없다 보니 펜이나 붓도 제대로 잡지 못합니다. 어쨌든 제대로 관찰한다는 것이 어렵습니다. 이는 발도르프학교에서도 그리 쉽지 않습니다. 교실에 들어서서 펜과 연필을 어떻게 잡는지 등을 가르치기 전에 전반적인 상태부터 완전히 변화시켜야 하는 경우가 굉장히 자주 있습니다. 바로 이 관계에서 인간은 하나의 전체라는 사실을, 모든 방면에서 능숙해지도록 배워야 한다는 사실을 절대 간과해서는 안 됩니다. 네, 삶을 관찰하기, 이는 가르치고 교육하는 사람의 일상생활에서 일어나는 사소한 것을 위해서도 필요합니다. 그리고 여러분이 원칙을 가지고 싶다면, 진정한 교육 예술의 첫 번째 원칙으로 다음 사항을 받아들이십시오. "나는 삶을 그 모든 표현에 있어서 관찰할 수 있어야 한다."

17.   이 방향으로는 아무리 많이 배워도 충분치 않습니다. 아이들 뒷모습을 한번 보십시오. 한 아이는 걸어가면서 발바닥 전체를 완전히 바닥에 디딥니다. 다른 아이는 발가락이 있는 앞부분만 바닥에 디디면서 종종걸음을 걷습니다. 그 양자 사이에 온갖 종류가 있을 수 있습니다. 아이를 교육하고 싶다면, 그 아이가 어떻게 걸어가는지 정확하게 알아야 합니다. 왜냐하면, 걸어갈 때 발꿈치를 바닥에 힘차게 딛는 아이는 육체적으로 자신을 드러내는 그 자그마한 특징을 통해 전생이 인생 속에 온전히 들어박혀 모든 것에 관심을 두었다는 것을 보여 주기 때문입니다.

18.   반에 그런 아이가 있다면 교사는 어떻게 그 아이 속에 들어 있는 것을 건져 내야 할지 고민해야 합니다. 왜냐하면 발꿈치까지 바닥에 대면서 걷는 아이 속에는 많은 것이 들어 있기 때문입니다. 그와는 반대로 발꿈치는 바닥에 거의 대지 않고 종종걸음을 걷는 아이는 전생을 건성으로 보냈다는 것을 의미합니다. 그런 아이에게서는 건져 낼 것이 별로 많지 않습니다. 될 수 있으면 많이 모방할 수 있도록 교사 스스로 많은 것을 행해야 합니다.

19.   교사는 이갈이를 하는 과도기를 관찰하며 체험

해야 합니다. 그러면 이갈이를 하기 전에는 완전히 감각 기관이었던 아이에게서 다른 무엇보다 상징화하고 상상하는 재능이 발달된다는 것을 알아보게 됩니다. 바로 그 재능을 염두에 두어야 합니다. 심지어 놀이를 할 때도 그 점을 염두에 두어야 합니다. 그에 반해 물질주의적 시대는 끔찍한 과실을 범합니다. 오늘날에는 이른바 예쁘장한 인형을 어디에서나 살 수 있습니다. 그런 인형을 한번 보십시오. 예쁜 얼굴이 이미 그려져 있습니다. 발그스름한 양 볼뿐 아니라, 심지어 눕히면 잠을 자듯 눈을 감기도 합니다. 머리카락도 진짜입니다. 없는 것이 없습니다! 그런데 아이가 그런 인형을 가지고 놀면 상상력이 말살되고 맙니다. 아이는 그런 인형을 보면서는 자신의 상상력으로 아무것도 만들어 내지도 못하고 즐거움을 느끼지도 않습니다. 그런 인형을 사주기보다는 손수건이나 보자기 같은 천으로 직접 인형을 만들어 줍니다. 천으로 만든 인형 얼굴에 붓으로 물감을 조금 찍어서 눈과 입을 살짝 그려 줍니다. 팔도 만들어 줄 수 있습니다. 그러면 아이는 그 인형에 자신의 상상력을 불어넣을 수 있습니다. 아이 스스로 인형에 가능한 한 많이 부가할 수 있다면, 그래서 상상력과 상징화하는 활동을 발달시킬 수 있다면, 아이를 위해 굉장히 유익합니다. 아이에게는 가능한 한 미완성된 것을 주십시오. 예쁘게 완성된 것은 될 수 있으면 주지 말아야 합니다. 아이들을 위해서 그렇게 해야 합니다. 진짜 같은 머리카락과 눈을 가진 인형의 아름다움은 그저 상투적인 것일 뿐입니다. 진실에서 보면 그런 인형은 예술성이 없어서 정말 끔찍합니다.

20. 　　이갈이가 끝나 갈 때 아이가 어떻게 상상의 삶으로 넘어가는지, 그 과정을 정확하게 알아보는 것이 관건입니다. 아이는 이성의 삶이 아니라 상상의 삶으로 건너갑니다. 거기에서 교사로서 여러분 역시 상상의 삶을 발달시켜야 합니다. 영혼 내면에 진정한 인간 인식을 지니는 사람은 상상의 삶을 발달시킬 수 있습니다. 인간 인식은 내면의 영혼생활을 느긋하게 풀어 주고, 얼굴에 미소가 떠오르게 합니다. 불만으로 가득 찬 삶은 무지에서 옵니다. 물론 몸 어딘가 병이 들어서 얼굴에 병색이 돌 수 있습니다. 그런데 그런 것은 별 지장을 주지 않습니다. 아이들은 그런 것쯤은 무시할 줄 압니다. 하지만 인간 인식으로 가득 찬 영혼 깊은 곳에서 나와 인상으로 표현되는 것, 그것이 교사에게 진정한 교육자가 될 능력을 줍니다.

21. 　　이갈이를 하는 나이와 사춘기 사이의 아이는 상

상력의 본질을 기반으로 삼아 교육해야 합니다. 첫 번째 7년 주기의 아동에게 있는 것, 즉 아이 전체가 감각 기관이라는 것이 두 번째 7년 주기에는 좀 더 내면화되고 영적으로 되었다고 할 수 있습니다. 감각 기관은 생각하지 않습니다. 감각 기관은 그림을 지각합니다. 외부 대상물에서 그림을 만들어 낸다고 하는 편이 더 맞습니다. 비록 감각 기관으로서 아이가 불러일으키는 것이 영적이라 해도, 그것이 사고내용으로 되지는 않습니다. 그것은 그림이, 상상의 그림이 됩니다. 그래서 아이 앞에서는 그림으로 일해야 합니다.

22.　　그런데 아이한테 완전히 낯선 것을 가르쳐야 하는 경우에는 그림으로 일하기가 거의 불가능합니다. 아이한테 완전히 낯선 것은 무엇이 있습니까? 필기체든 인쇄된 활자든 오늘날의 문자에 내재하는 것입니다. 아이는 'ㄱ' 같은 것과 어떤 관계도 형성하지 않습니다. 무슨 이유로 'ㄱ' 같은 것과 관계를 쌓아야 합니까? 어떤 연유에서 'ㄹ' 같은 것에 관심이 있어야 합니까? 활자는 아이한테 완전히 낯선 것입니다. 그럼에도 불구하고 아이가 학교에 들어가면 그런 것을 무조건 가르치려 듭니다. 결국 아이는 열심히 배워야 할 과제를 완전히 낯선 것으로 느낍니다. 게다가 이갈이를 하기 전

에 아이에게 이런 것을 가지고 달려들면, 종이에 문자 모양을 오려 낸 다음에 같은 모양의 문자를 찾아서 집 어넣도록 시키면, 완전히 낯설고 아이와 전혀 관계없는 것을 하라고 강요하는 것입니다.

23.   그에 반해 아이에게는 원래부터 예술적인 감각이, 의미를 형성하는 상상력이 있습니다. 바로 그것에 호소하고 간청해야 합니다. 그리고 문명 인류의 책이나 인쇄물에 있는 관습적인 활자를 일단은 전혀 가르치지 않으려고 노력해야 합니다. 저는 정신으로 충만한 방식이라 표현하고 싶은데, ─ 이런 단어를 이용하는 저를 용서하십시오 ─ 아이와 함께 정신으로 충만한 방식으로 인류 문화 발달 과정을 거치도록 먼저 노력해야 합니다.

24.   고대 인류는 상형 문자를 썼습니다. 이는 대상물을 생각나게 하는 어떤 것을 그렸다는 의미입니다. 여러분이 따로 문화사를 공부할 필요는 없습니다. 그러나 인류가 상형 문자로 표현하고자 했던 것의 정신과 의미를 아이에게 보여 줄 수는 있습니다. 그러면 아이가 집에 온 듯이 편안하게 느낍니다.

그림1

25.　　　다음과 같이 생각해 보십시오. '입Mund'이라는 단어를 봅시다. 영어에서는 'mouth'입니다. 아이에게 입이라는 단어를 쓰도록 합니다. 그런데 그림을 그리듯이 쓰게 합니다. 공책에 빨간색을 약간 칠해서 입을 그리게 한 다음에 단어를 말하게 합니다. 단어 전체가 아니라 단어의 시작 부분을 음(M)만 발음하게 합니다. 그렇게 하면서 그림의 윗입술(그림1 참조)이 차츰차츰 M 모양을 띠도록 합니다. 그러면 처음에는 입을 그렸는데 그것에서 M이 나옵니다.

26.　　　실제로 문자는 이렇게 생겨났습니다. 언어 발달 과정에서 모든 단어가 전위되고 변화되었기 때문에 한때 활자가 그림이었다는 것을 오늘날에는 알아보기 힘들 뿐입니다. 하지만 원래 각기의 소리에는 자체적인 그림이 있었고, 그림이 될 가능성이 분명하게 있었습니다.

27.   원래 특성으로 돌아가야 할 필요는 없습니다. 하지만 고안할 수는 있습니다. 교사에게는 발명하는 자질이 있어야 합니다. 주제의 본질을 근거로 해서 창조할 줄 알아야 합니다.

28.   '물고기Fisch', 영어의 'fish'를 예로 들어 봅시다. 아이한테 소묘하듯이 물고기를 그리게 합니다.(그림2 참조) 그 다음에 단어의 첫 부분인 F를 말하게 합니다. 그렇게 하면서 물고기 그림에서 차츰차츰 F가 나오게 합니다.

그림2

29.   상상력이 풍부하다면 이런 식으로 자음마다 해당하는 그림을 실제로 발견할 수 있습니다. 그림 같은 소묘에서, 소묘 같은 그림에서 그림을 건져 낼 수 있습니다.

두 번째 강의

30. 이런 식으로 가르치려면 오늘날 흔히 이용되는 수업 방법에 비해 물론 불편합니다. 게다가 아이들한테 두세 시간 그림을 그리도록 한 다음에 사용한 도구와 그림을 정리하고 청소까지 해야 하니까 귀찮기 짝이 없겠지요. 그럼에도 불구하고 수업은 그렇게 이루어져야 합니다. 다른 방도는 전혀 없습니다.

31. 사물의 형태에서 활자를 건져 낼 수 있고, 그럴듯한 형태로 된 사물은 주변에 얼마든지 있습니다. 쓰기는 그렇게 가르쳐야 합니다. 먼저 읽기를 가르쳐서는 절대로 안 됩니다. 소묘하듯이 그리고, 그리듯이 소묘를 하면서 시작하고, 거기에서 활자가 생겨나게 합니다. 그 다음에 비로소 읽기로 넘어갑니다.

32. 자음은 사물에서 출발해서 가르칠 수 있기 때문에 주변 어디에서나 소재를 발견할 수 있습니다. 그저 찾기만 하면 됩니다. 단어의 첫 소리 첫 번째 활자에서 단어 전체가 생성되도록 하기 위한 것은 어디서든 발견할 것입니다. 모음은 그리 쉽지 않은데, 방법이 아주 없는 것은 아닙니다. 아이들에게 다음과 같이 말하면서 시작합니다. "밝게 빛나는 저 해님을 봐라! 아름답기 그지없구나. 네가 저 아름다운 해님을 바라보면서 그 아름다움에 경탄한다고 상상해 보아라." 이제 아이

가 거기에 서서 하늘을 올려다보면서 경탄하는 마음
을 표현합니다. "아!" 그렇게 하면서 그 모양을 그립니
다. 히브리어에서 아(A)는 경탄의 소리입니다.

그림3

이 모양을(그림3에서 첫 번째 그림) 그저 조금 작아지게 만들
면서 차츰차츰 아(A)로 변화시킵니다.

33.　　　이렇게 —여러분이 내면의 영적인 것, 달리 말해
오이리트미적 개념을 아이에게 제시해 아이 스스로 이
상태에 들어서도록 하면,— 모음이 생겨납니다. 모음을
가르치는데 오이리트미**02**가 믿을 수 없이 훌륭한 도움
이 될 수 있습니다. 왜냐하면 소리가 이미 오이리트미

02　편집자　Eurythmie_ '아름다운 동작', '아름다운 리듬'을 뜻하는 그리
　　　스어. 루돌프 슈타이너가 창안한 언어와 음악을 움직임으로 시각화한
　　　동작 예술이다. 이 책 여섯 번째 강의 p.199~p.205 참조

속에 형성되어 있기 때문입니다. 오(O)를 한번 생각해 보십시오. 두 팔로 어떤 것을 둘러쌉니다. 소중하게 어떤 것을 보듬어 안습니다.( )

이것에서 소리 모양인 오(O)가 나옵니다. 실제로 손짓과 몸짓에서 모음을 얻을 수 있습니다.

34.　　이렇게 관조와 상상력을 근거로 삼아 일을 합니다. 그러면 아이들이 스스로 사물에서 차츰차츰 자모음을 얻는 지점에 도달할 것입니다. 무조건 그림에서 출발해야 합니다. 오늘날 문명에 이미 완성된 것으로서 존재하는 문자의 배후에는 역사가 있습니다. 현재의 문자는 그림을 간소화한 것입니다. 오늘날 그 마법 기호 같은 문자에서는 원래 모양을 더 이상 알아볼 수 없습니다.

35.　　미국 원주민인 인디언들 이야기인데, ―19세기 중반까지도 이런 일이 일어났습니다. ― '더 우월한 인종'인 유럽인이 북미에 도착해서 인디언에게 인쇄된 책자를 보여 주었습니다. 그러자 인디언들은 책에 활자로 쓰인 것을 자그마한 마귀라 여기고는 모두 달아났습니다. 인디언들은 이렇게 말했습니다. "저 허여멀건 얼굴은 ―인디언은 유럽인을 그렇게 불렀습니다. ― 자그마한 마귀를 이용해서 서로 소통한다."

36.　　문자는 아이들에게도 그런 식으로 작용합니다.

문자는 아이들에게 아무 의미도 없습니다. 아이들은 문자 속에 악마 같은 것이 들어 있다고 느낍니다. 아이들이 맞습니다. 문자는 기호이기 때문에 마법 도구가 된 것입니다.

37.　　　반드시 그림에서 출발해야 합니다. 그림은 마법 기호가 아닙니다. 그것은 실재적인 것입니다. 그러므로 아이들과 함께 일을 할 때 반드시 그림에서 출발해야 합니다.

38.　　　그러면 사람들이 와서 이렇게 말합니다. "그래, 다 좋은데, 아이들이 읽기와 쓰기를 너무 늦게 배울 것이다." 아이들이 이른 나이에 읽기와 쓰기를 배우면 얼마나 해가 되는지 요즘 사람들은 모릅니다. 그래서 그런 말을 합니다. 너무 어린 나이에 벌써 글씨를 쓸 줄 안다는 것은 굉장히 유해합니다. 오늘날 우리가 알고 있는 읽기와 쓰기는 좀 나이가 든 아이들, 그러니까 10~12세 아이들을 위한 것입니다. 아이들이 그 나이가 될 때까지 읽기와 쓰기를 완벽하게 배우지 않아도 되는 복을 받는다면, 나중의 인생을 위해서 훨씬 더 낫습니다. 14, 15세가 되어서도 제대로 쓸 줄 모르는 아이는, ― 개인적인 경험에서 하는 말인데 사실 저도 그 나이가 될 때까지 제대로 쓸 줄 몰랐습니다. ― 그보다 어린

나이에, 그러니까 7, 8세에 벌써 술술 읽고 쓸 줄 아는 아이에 비해 후일의 영적 발달을 위해 자신을 너무 심하게 고립시키지 않습니다. 이는 교사가 반드시 관찰해야 하는 것 중 한 가지입니다.

39.　　우리 아이들도 학교를 졸업하면 일반 사회에 나가야 합니다. 그렇기 때문에 우리가 실제로 해야 할 것을 모두 할 수 있는 상황은 아닙니다. 그럼에도 불구하고 요지를 알고 있다면 아주 많은 것을 달성할 수 있습니다. 정말로 알고 있는지에 모든 것이 달려 있습니다. 다른 무엇보다도 쓰기를 가르치기 전에 읽기를 가르쳐서는 안 된다는 사실을 철저하게 인식해서 알고 있는지? 그림 같은 소묘를 하고, 소묘 같은 그림을 그리면서 쓰기를 건져 내는 동안 아이의 인간 전체가 그 활동에 매진하게 됩니다. 손가락만 그 일을 하지 않습니다. 몸 전체로, 인간 전체로 그 일에 매달립니다. 읽기는 그저 머리로만 합니다. 인간 유기체의 한 부분만 활동하고 나머지는 아무것도 할 필요가 없는 주제는 가능한 한 나중에 가르쳐야 합니다. 인간 전체를 고무시키고 움직이게 하는 것을 먼저 한 다음에, 유기체의 부분만 움직이는 주제를 다룹니다. 이것이 가장 중요합니다.

40.　　그런데 수업을 그런 식으로 하려고 하면, 아주

상세한 부분까지 조목조목 다루는 방침은 주어질 수 없습니다. 단지 방향만, 대략의 규정 정도만 주어질 뿐입니다. 이런 까닭으로 여러분은 특히 인지학에서 나오는 수업 방법론에서는 교사의 절대 자유와 자유롭게 창조하는 상상력만 염두에 두어야지 다른 것으로는 전혀 기대할 수 없습니다.

41.　　발도르프학교는 성공적이라 할 수 있습니다. 그런데 저는 상당히 걱정스러운 성공이라 표현하고 싶습니다. 처음에는 130~140명의 학생으로 시작했습니다. 대부분 몰트 사장님[03]의 담배 공장에서 일하는 사람들의 아이들이었습니다. 그러니까 우리 학교에 다니도록 특정한 의미에서 종용된 아이들이 대부분이고, 그에 더해 인지학계 인사들의 아이들이 왔습니다. 단기간 내에 급성장해서 현재 800여 명의 학생들과 40여 명의 교사들이 있습니다. 그래서 점점 더 조망하기 어려운 상황이 되었기 때문에 걱정스러운 성공이 아닐

03　　Emil Molt(1876~1936)_ 독일 슈투트가르트 발도르프-아스토리아 담배 공장 소유인으로 1919년 최초의 자유 발도르프학교 건립을 주도했다. 원래 공장 노동자들의 아이들에게 교육을 제공한다는 의도였으며, 루돌프 슈타이너에게 학교 조직 구성과 교장직을 일임했다.

수 없습니다. 발도르프학교 조직 자체를 조망하는 것은 어렵습니다. 여러분도 이 점을 보게 될 것입니다. 나중에 더 이야기할 것인데, 조직을 조망할 근거가 있기는 합니다. 우리는 한 학년에 여러 학급을 설치해야 했습니다. 5, 6학년에는 세 학급이 있습니다. 한 학년에 1, 2, 3반이 있다는 말이지요. 그런데도 각 반은 학생들로 넘칩니다. 학급당 학생 수도 일반 학교에 비해 더 많습니다.

42.   교사 한 명은 1반에 들어가고 다른 교사는 2반에 들어간다고 합시다. 이제 '제대로 조직된' 학교에서 어떤 식으로 돌아가는지 상상해 보십시오. 여러분이 1학년 1반에 들어가 수업을 참관합니다. 교사가 최상이라 여기는 특정 방법론에 따라 아이들을 들들 볶습니다. 이번에는 1학년 2반에 들어가 봅니다. 다른 아이들이 앉아 있는데도 교실에 1반이라는 팻말을 붙일 수 있습니다. 왜냐하면 두 학급에서 '올바른 방법'이라는 명목 아래 똑같은 것을 하고 있기 때문입니다. 사람들은 물론 똑똑하니까 그런 것을 고안해 냅니다. 지성은 언제나 명백한 것이라 그렇게 하는 수밖에 없습니다.

43.   발도르프학교에서는 그런 것을 절대로 볼 수 없습니다. 우리 학교의 1학년 1반에 들어가 보십시오. 쓰

기 수업인데 교사가 아이들에게 노끈 같은 것으로 갖가지 모양을 만들게 한 다음에 그 모양을 그리게 합니다. 그럼 차츰차츰 문자가 생겨납니다. 다른 교사는 다른 방법을 선호합니다. 1학년 2반에 들어가 보면, 교사가 아이들과 함께 춤을 추고 있습니다. 아이들이 몸으로 형태를 체험하도록 한 다음에 그 모양을 그리게 합니다. 1반, 2반, 3반에서 똑같은 형태로 수업하는 것을 절대 볼 수 없습니다. 내용은 동일합니다. 하지만 완전히 다른 방식으로 수업합니다. 자유롭게 창조하는 상상력이 교실을 지배합니다. 어떤 지시 사항도 없습니다. 오직 발도르프학교의 정신만 있을 뿐입니다. 그 정신을 파악하기, 바로 그것이 가장 중요합니다. 교사는 자주적인 존재입니다. 교사는 발도르프학교의 정신 속에서 스스로 옳다고 생각하는 것을 전적으로 행할 수 있습니다. 그러면 여러분은 이렇게 말할 테지요. "다 좋은데, 누구나 자기가 하고 싶은 대로 한다면 학교가 극심한 혼란에 빠지지 않겠는가? 예를 들어 5학년 1반에서 무슨 황당한 일이 벌어지는지 누가 아는가? 5학년 2반 아이들이 장기를 두고 있을지도 모를 일이다." 그런데 발도르프학교는 그런 식으로 돌아가지 않습니다. 어디에나 자유가 지배하고 있습니다. 그럼에도 불구하고 각 학급에는 아이들의 연령에 적절한 정신이 들어 있습니다.

44.　　여러분이 교사 세미나 강좌를 들어 보면 알겠지만, 최대치의 자유를 허용하면서도 각 학년을 위해 적절한 내용이 제시됩니다. 특이한 점은 어떤 교사도 그에 반발하지 않는다는 것입니다. 아무도 반발하지 않고, 누구도 그보다 더 많은 다른 것을 요구하지 않습니다. 정반대로 각 학년에서 해야 할 것에 대해 될 수 있으면 많이 나누고 싶은 갈망이 생길 정도입니다.

45.　　발도르프학교가 생긴 지 벌써 수 년이 지났는데도 교과 과정을 거부하는 교사는 한 명도 없습니다. 그 이유가 어디에 있다고 생각하십니까? 누구든 우리의 교과 과정을 합리적이라 여깁니다. 그것을 불합리하다 여기는 교사가 전혀 없습니다. 교사가 진실하고 진정한 인간 인식과 연결되어 있기 때문에 우리의 교과 과정을 완전히 합리적이라고 자유롭게 판단하는 것입니다.

46.　　상상력으로 수업 내용을 창조하기, 교사는 바로 이것을 중시하기 때문에 반드시 자유가 있어야 합니다. 발도르프학교에는 그 자유가 있습니다. 우리 학교 교사들은 자신의 상상력으로 고안하고 발견한 것만 중요하다고 느끼지 않습니다. 제가 교사 회의에서 교사들

과 함께 앉아 있든, 수업 중인 교실에 들어가든 점점 더 확신하는 사실 한 가지가 있습니다. 어떤 교사든 일단 교실에서 수업을 하는 동안에는 교과 과정이 결정되고 기록되었다는 사실을 잊어버린다는 것입니다. 수업을 하면서 그 교과 과정을 자신의 작품이라 생각합니다. 제가 학교에 가면 바로 이 느낌이 듭니다.

47.   진정한 인간 인식을 토대로 하면 이런 것이 생겨 납니다. 제가 허영심으로 가득 차서 하는 말이라고 믿을 수 있겠지만, 그래도 여러분께 이야기하고 싶습니다. 허영심에 가득 차서가 아니라, 여러분이 그것을 배워서 그와 똑같이 할 수 있도록 하기 위해서, 진정한 인간 인식에서 나오는 것이 어떻게 아이 내면에 정말로 들어가는지 보여 주기 위해서입니다.

48.   상상력을 염두에 두고 전반적인 교육과 수업을 구축해야 합니다. 9, 10세 이전의 아이는 나/Ich로서 자신을 주변 환경과 구분할 줄 모른다는 점을 분명히 해야 합니다. 아이는 특정한 본능으로 이미 훨씬 전부터 자신을 '나/Ich'라고 부르기는 합니다. 그래도 진실에서 보자면 그 나이 이전의 아이는 실제로 세계 한복판에 들어 있다고 느낍니다. 세상 전체가 자신과 유사하다고 느낍니다. 오늘날 특히 이 관계에서 엉뚱하기 그지없는

개념이 난무합니다. 요즘 사람들은 원시 종족이 만물에 생명이 들어 있다고 느꼈기 때문에 무생물도 살아 있는 것으로 다루었다고 주장합니다. 아이 역시 원시 종족처럼 행동하면서 주변 환경을 대한다고 말하면서 아이를 이해했다고 믿습니다. 아이들은 날카로운 모서리가 있는 물건에 부딪치면 그것을 때립니다. 그런 사람들의 논리에 따르면, 아이가 그 대상물이 살아 있다고 여기기 때문에 그렇게 한다는 것이지요.

49.　　그런 생각은 전혀 진실이 아닙니다. 아이는 대상물에 영혼이 들어 있다고 생각하지 않습니다. 아직 생물과 무생물 간의 차이를 구분하지 못합니다. 모든 것이 합일되어 있다고 여기며, 자신과 주변 환경 역시 하나로 여깁니다. 9, 10세에 비로소 자신과 주변 환경을 구분하기 시작합니다. 전체 수업을 계획성 있게 만들고자 한다면 이 점을 가장 엄격한 의미에서 유념해야 합니다.

50.　　그 나이 아이들에게 말할 때는 식물, 동물, 심지어는 돌멩이 같은 주변의 모든 것이 사람처럼 서로 만나서 이야기하고, 연락하고, 미워하고 사랑한다는 듯이 해야 합니다. 창조적 방식으로 의인화를 이용할 수 있어야 합니다. 모든 것이 마치 인간이라는 듯이 다루

어야 합니다. 굉장히 영리한 방식으로 어떤 것에 혼을 불어넣으라는 말이 아닙니다. 생물과 무생물을 아직 구분하지 못하는 상태에 있는 아이가 이해할 수 있는 방식으로 하라는 것입니다. 그 나이 아이는 돌은 영혼이 없고 개는 영혼이 있다고 생각해야 할 이유가 전혀 없습니다. 개는 움직이고 돌은 움직이지 않는다는 정도의 차이만 구분하지, 영혼이 있기 때문에 움직인다는 것은 알아보지 못합니다. 중점은 영혼이 들은 것과 생명이 들은 것을 다룰 때 사람들이 서로 만나 이야기하고, 생각하고, 느끼고, 호불호를 발달시킬 때처럼 다루는 데 있습니다. 그래서 이 연령대 아이들에게 가르치는 모든 것은 동화와 신화 형식으로, 생생하게 살아 있는 듯한 이야기 모양으로 주조되어야 합니다. 그렇게 함으로써 아이는 영혼의 본능적 상상력을 위해 최고의, 그야말로 최상의 영혼 소양을 얻습니다. 바로 이 점을 유의하십시오.

51.   이 나이 아이를 온갖 종류의 지성적 내용으로 가득 채우면, ─아이에게 가르치는 모든 것을 그림으로 전환시키지 않는다면 그렇게 됩니다.─ 아이는 후일 맥관 체계와 혈액 순환 체계에서 그것을 감지하게 됩니다. 여러분은 정신, 영혼, 신체에 따라 ─다시 언급하

는 수밖에 없습니다. ― 하나의 온전한 합일로서 아이를 고찰해야 합니다.

52.　　그렇게 하기 위해서 교사의 영혼에는 예술적 감각이 있어야 합니다. 교사는 예술가적 기질이 있어야 합니다. 왜냐하면 사람이 생각해 낸 것이나 개념으로 표현할 수 있는 것만 교사를 통해 아이한테 작용하지는 않기 때문입니다. 이런 표현이 허락된다면, 인생에는 측정 불가능한 것이 있다고 말하고 싶습니다. 그리고 그것이 아이에게 작용합니다. 교육자에게서 많은 것이 나오고, 아이에게 무의식적으로 건너갑니다. 특히 교사가 영혼이 담긴 동화나 우화, 신화를 아이들에게 들려줄 때 그 점을 반드시 의식하고 있어야 합니다. 이와 관련해서 물질주의 시대에 굉장히 자주 등장하는 일이 있습니다. 교사가 아이들에게 동화나 우화를 들려주면서 스스로 유치하게 여긴다는 것입니다. 너무 공공연해서 누구나 그 상태를 알아볼 수 있습니다. 교사 스스로 믿지 않습니다. 인지학이 진정한 인간 인식으로 인도하고 지도하는 것이라면, 교사의 자세에서 정말로 올바른 방식으로 등장합니다. 한 가지 주제를 추상적인 개념으로 설명하기보다 그것에 그림으로 옷을 입히면 훨씬 더 풍부하게 표현할 수 있다는 사실을

우리는 인지학을 통해 알고 있습니다. 건강한 기질의 아이는 모든 것을 그림으로 만들고, 그림을 수용하려는 욕구를 지닙니다.

53.　　　이와 관련해서 우리는 항상 괴테**04**를 돌아볼 수 있습니다. 괴테는 아주 어린 나이에 피아노를 배워야 했습니다. 어떤 식으로 손가락을 이용해야 하는지 배우는데, 괴테는 그 교습 방법을 몹시 싫어했습니다. 그래서 꽁생원처럼 답답한 교사가 가르친 것과는 별도로, ─괴테의 부친은 원조 꽁생원이었습니다. 진짜 프랑크푸르트 꽁생원이었으니 당연히 꽁생원을 최우선으로 채용했겠지요. 괴테의 부친은 그런 꽁생원을 가장 훌륭한 사람으로 여겼으니까요, 그렇지 않습니까?─ 어쨌든 어린 괴테는 꽁생원 교사의 교습 방법이 너무 추상적이고 싫어서 스스로 어떤 것을 생각해 냈습니다. 바로 '꼭 찍는 녀석'입니다. 검지라는 말은 어린 괴테에게 너무 추상적이었습니다. 꼭 찍는 녀석은 그렇지 않습니다. 아이는 그림을 원합니다. 스스로를 그림으로 느끼고 싶어합니다. 그래서 교사는 상상력을 필요로 하고

04　　Johann Wolfgang von Goethe(1749~1832)_ 아동기의 피아노 수업에 관해 『시 짓기와 진실Dichtung und Wahrheit』 제4권 참조

예술가적 소양을 지녀야 한다는 사실을 반드시 염두에 두어야 합니다. 그러면 교사는 필요한 생동감을 가지고 아이에게 다가서게 됩니다. 그 생동감이 최상의 의미에서 잴 수 없을 정도로 아이한테 작용합니다.

54.   우리는 인지학을 통해서 신화와 동화를, 전설을 믿도록 배우게 됩니다. 실제로 그렇습니다. 왜냐하면 그런 것은 형상적 상상 속에서 더 고차적인 진실을 표현하기 때문입니다. 우리는 다시 신화적, 서사적, 동화적인 것을 영적으로 다루는 데에 익숙해져야 합니다. 그렇게 함으로써 우리가 아이들에게 이야기를 하면, 주제에 대한 우리 자신의 믿음이 그 이야기에 배어 있고, 그것이 아이에게 전달됩니다. 그것이 교육하는 사람과 아이의 관계에 진실을 부여합니다. 그런 반면에 교사와 아이들 사이에 굉장히 자주 너무 많은 거짓이 난무하지 않습니까? "아이들은 멍청하고 나는 똑똑하다. 아이들이 동화를 믿으니까 할 수 없이 이야기해 줄 뿐이다. 애들 수준이 그렇지 뭐." 교사가 이런 식으로 생각하면 즉시 거짓이 난무합니다. 그러면 곧바로 이야기 속에 오성이 끼어듭니다.

55.   이갈이를 할 때부터 사춘기까지 아이는 교사 내면에 오성이 지배하는지, 아니면 상상력이 지배하는지

알아보는 매우 섬세한 촉각이 있습니다. 오성은 아이의 생명을 황폐화시키고 쪼그라들게 만듭니다. 반면에 상상력은 활성화하고 고무하는 식으로 작용합니다.

56.   우리는 이 일반적인 사항을 습득해야 합니다. 다음 며칠 동안 이 주제를 좀 더 상세히 다루도록 하겠습니다. 오늘 마지막으로 한 가지 더 이야기할 것이 있습니다.

57.   아이를 위해 매우 의미심장한 것이 9, 10세에 놓여 있습니다. 교사는 그 점을 반드시 알아보아야 합니다. 추상적으로 표현하면, 아이가 자신과 주변 환경을 구분하기를 배우는 시기가 9, 10세에 놓여 있다고 할 수 있습니다. 그 시기에 주변 환경이 자신의 나/Ich에 속하지 않는 외적인 것이라고 느끼기 시작합니다. 이는 주제를 추상적으로 표현한 것입니다. 물론 이 모든 것은 대략적으로 표현될 수 있을 뿐인데, 이 나이 아이는 존경하는 교사에게 다가서기를 어쩐지 어려워합니다. 대부분의 아이는 실제로 자신의 영혼을 짓누르는 것을 교사에게 절대로 밝히지 않습니다. 대신 다른 것을 말합니다. 그러면 교사는 그 말이 아이 영혼의 가장 깊은 저변에서 나온다는 것을 반드시 알아채야 합니다. 그 상황에서 교사는 무엇이 옳은 답이며, 어떤 처신이

옳은지 반드시 알고 있어야 합니다. 바로 그것에 아이의 인생 전체를 위해 엄청나게 많은 것이 달려 있습니다. 타고난 듯 자연스러운 권위가 없는 사람은 이 나이의 아이를 절대로 교육할 수 없습니다. 여러분이 어떤 것을 진실이라 여기기 때문에, 아이도 그것을 진실이라고 느낍니다. 여러분이 어떤 것을 아름답다고 생각하기 때문에 아이도 그것이 아름답다고 느낍니다. 여러분이 어떤 것을 선하다고 여기기 때문에 아이도 그것이 선하다고 느낍니다. 이렇게 자연스러운 권위가 없는 사람은 그 나이의 아이를 가르칠 수도 교육할 수도 없으며, 절대로 아이와 함께 일할 수 없습니다. 여러분은 그 나이의 아이를 위해 진, 선, 미의 대리자가 되어야 합니다. 그러면 아이가 여러분에 의지해서 성장하고 교육되기 때문에 진, 선, 미에 의지해서 성장하고 교육되는 것입니다.

58. 　9, 10세 아이의 잠재 의식 속에 다음과 같은 느낌이 완전히 본능적으로 일어납니다. "선생님한테 모든 것을 배웠어. 그런데 선생님은 어디에서 그런 것을 배웠을까? 선생님의 배후에는 무엇이 있을까?" 물론 여기서 자세히 다룰 필요는 없지만, 그 상태에 있는 아이에게 정의 내리기나 설명으로 접근하면 아이와의 관계

는 손상될 뿐입니다. 가슴에서 나오는 진심 어린 말을 찾는 것이 중요하고, 그런 따뜻한 말을 통해서 ―아이의 어려움은 보통 장기간 지속됩니다. 여러 주, 여러 달 동안 계속됩니다.― 아이와 교사 사이의 간극을 극복하고 아이 내면에 교사의 권위를 올곧게 유지할 수 있습니다. 특히 그 나이가 되면 교사의 권위에 대한 의심이 생겨납니다. 교사는 아이의 그 상태를 대할 준비가 되어 있어야 합니다. 달리 말해 그 연령대에 생겨나는 어려움을 직면하는 방식에 영혼을 가득 담을 줄 알아야 하고, 아이를 대할 때 친밀성, 신뢰성, 진실성을 가지고 권위를 유지해야 합니다. 그렇게 해서 어떤 결과가 나온다고 해도, 그것은 아이가 교사에 대한 권위를 확신하기 때문만은 아닙니다. 아이가 교사의 권위를 확신한다면, 물론 수업을 하기에는 좋습니다. 중점은 인간 본질에 놓여 있습니다. 9, 10세에 바로 이 나이에 선하고 훌륭한 인간에 대한 믿음이 흔들려서는 안 되는 게 인간 본질입니다. 그렇지 않다면 인생을 인도해야 할 내적 확신이 모두 불안정하게 흔들리고 맙니다.

59.   이는 진실로 의미심장한 것입니다. 우리는 이런 모든 것에 매달리고 의지해야 합니다. 인생의 특정 시점에서 들어서는 것이 무엇인지, 그것을 어떤 태도로

대해야 하는지를 아는 것이, 교육학에서 지시하는 성가시고 소소한 모든 것보다 훨씬 더 중요합니다. 그런 태도에서 나오는 올바른 빛이 아이 인생 전체를 밝게 비출 것입니다.

세 번째 강의

1924년 8월 14일

이갈이부터 사춘기까지 아이를 위한 교육 예술의 일반적 사항
식물학 수업_ 지구와 식물
동물학 수업_ 인간과 동물
인과성 고찰은 12세 이후에
체벌과 교사의 자아 인식

01. 오늘은 이갈이를 할 때부터 사춘기까지 아이를 위한 교육 예술의 일반적 사항에 대해 몇 가지를 더 상세히 다루기로 합시다. 그렇게 하면 다음 강의에서 개별 주제와 생활 상태를 다루면서 특수한 부분을 건드릴 수 있습니다.

02. 9, 10세에 아이는 주변 환경과 자신을 구분할 수 있게 됩니다. 이 나이가 되어야 주체와 객체 간의 차이가 — 주체는 자신이며 객체는 타인이라는 생각이 — 아이 내면에 비로소 등장합니다. 그래서 아이에게 외부 대상물에 대해 말할 수 있습니다. 이 나이 이전에는 외부 대상물을 다룰 때 그것이 마치 아이의 몸과 하나라는 듯이 해야 합니다. 말하고 행동하는 인간처럼 외부 대상물을 다루어야 한다고 어제 말했습니다. 그렇게 함으로써 아이는 단순히 자신의 존재가 연장된 것이 외부 세계라고 느낍니다.

03. 이제 문제는 9, 10세 아이에게 외부 세계의 기본적인 사실과 존재에 대한 몇 가지를, 그러니까 식물계

와 동물계를 가르쳐야 한다는 것입니다. 다른 주제들 역시 더 다룰 것입니다. 특히 식물계와 동물계를 인간 본성이 요구하는 대로 가르쳐야 한다는 사실을 반드시 명심하십시오.

04.　　동물계와 식물계를 가르칠 때 우리가 가장 먼저 해야 할 일은 이 분야의 전문 서적을 모조리 소거하는 것입니다. 왜냐하면 그런 전문 서적을 들여다보면, 식물계와 동물계에 관해 아이들에게 실제로 가르칠 만한 내용이 전혀 들어 있지 않기 때문입니다. 그런 서적은 성인에게 식물과 동물에 대한 지식을 전달할 때 이용할 수 있습니다. 그런데 아동 교육에 그런 것을 이용하면 아이의 개인성이 손상됩니다. 아동 교육에서 식물계나 동물계를 어떻게 다루어야 할지, 그에 대한 안내서가 될 만한 전문 서적이나 참고서는 오늘날 없다고 말할 수 있습니다. 요점은 다음과 같습니다.

05.　　아이에게 식물을 보여 주면서 그에 대해 이것저것을 다루면, 실재에 전혀 부합하지 않는 것을 가르치게 됩니다. 전체 자연계에서 분리된 식물 개체는 아무 실재도 없습니다. 여러분이 머리카락 한 올을 뽑아서 그 자체로서 무엇인가 된다는 듯이 한번 관찰해 보십시오. 거기에는 아무 실재도 없습니다. 물론 진부한 인

생에서는 어떤 종류든 윤곽이 있는 대상물이 눈앞에 있으면 무조건 실재라고 말합니다. 그런데 분석해야 할 암석을 눈앞에 두고 있는지, 아니면 머리카락이나 장미 한 송이를 보고 있는지, 이 둘 사이에는 좀 다른 점이 있습니다. 암석은 10년이 지난 후에도 현재와 별 차이 없이 그대로 머물 것입니다. 장미는 이틀만 지나면 더 이상 지금과 같은 상태에 있지 않습니다. 장미는 장미 넝쿨에 달려 있을 때만 실재입니다. 머리에서 뽑아 낸 머리카락은 그 자체로는 아무 실재가 될 수 없습니다. 사람 머리에 붙어 있을 때, 달리 말해 인간 전체에 속해 있을 때만 하나의 실재입니다. 이제 여러분이 저 바깥 들판에 나가서 나무나 꽃을 꺾어 온다고 합시다. 이것은 흡사 지구의 머리카락을 뽑는 것이나 다름없습니다. 왜냐하면 머리카락이 인간 유기체에 속하듯 식물은 완전히 지구에 속하기 때문입니다. 머리카락이 어디서든 저절로 생겨나 자란다는 듯이 머리에서 한 올만 뽑아 관찰하는 것은 사실 말도 안 되는 짓입니다.

06.   그와 마찬가지로 채집통에 수집해 온 식물을 교실에서 따로 관찰한다면, 역시 말도 안 되는 짓입니다. 그런 것은 실재에 부합하지 않습니다. 그런 방식으로는 아이가 올바른 자연 인식, 올바른 인간 인식을 습득하

시 못합니다.

07.　　　여기에 식물이 하나 있다고 가정합시다.(그림4 참
　　　조) 그 하나만으로는 식물이라 말할 수 없습니다. 그 아
　　　래에 대지로서 존재하는 것 역시 식물에 속합니다. 어
　　　떤 식물에는 경계 짓기 힘들 정도로 넓은 땅이 속합니
　　　다. 사방으로 아주 넓게 잔뿌리를 뻗치는 식물도 있습
　　　니다. 식물이 뿌리박고 서 있는 지점만 아니라 주변 역
　　　시 상당히 널찍하게 그 식물에 속합니다. 이 사실에서
　　　여러분은 특정 식물을 제대로 키우려면, 식물 주변의
　　　땅에 거름을 주어야 한다는 것을 배울 수 있습니다. 한
　　　가지 식물은 그 자체로만 살아 있는 것이라 말할 수 없

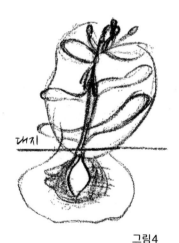

대지

그림4

세 번째 강의

습니다. 식물이 뿌리박고 있는 대지도(그림4 참조) 역시
살아 있습니다. 식물에 속하는 것, 즉 땅도 역시 살아
있습니다.

08.　　　봄에 꽃을 피우는 식물이 있습니다. 오뉴월이 될
　　　즈음 만개하고 가을이 되면 열매를 맺습니다. 그 다음
　　　에 시들어 스러져 땅으로 돌아갑니다. 땅 역시 식물에
　　　속합니다. 주변에 있는 땅의 힘을 받아들이는 식물도
　　　있습니다. 여기에 땅이 있습니다.(그림5 참조) 식물 뿌리가
　　　주변에 있는 힘을 흡수합니다. 그 힘을 흡수했기 때문
　　　에 땅의 힘이 위로 올라가 나무가 됩니다.

09.　　　나무란 과연 무엇입니까? 나무는 많은 식물의

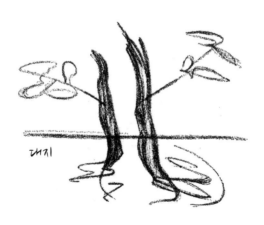

대지

그림5

군락입니다. 그 자체로는 생기가 별로 없는 언덕에 식물이 많이 자란다고 합시다. 그리고 땅의 기운을 흡수하는 아주 싱싱한 나무 한 그루가 있다고 합시다. 나무와 땅은 동일한 종류입니다. 대지에서 분리된 식물만 관찰한다면 절대 객관적으로 될 수 없습니다.

10.　　　차를 타고 어떤 지역을 지나가 보십시오. 특정한 지질학적 구조로 된 지역을 걸어서 탐사한다면 더 좋습니다. 예를 들어 빨간색 모래가 있는 지역을 다니면서 한번 둘러보십시오. 대부분의 식물에 황적색 꽃이 핍니다. 꽃도 그 지역의 대지에 속합니다. 땅과 식물은 머리와 머리카락처럼 한 몸을 이루고 있습니다.

11.　　　그래서 지리와 지질학 따로, 식물학 따로 분리해서 수업을 해서는 안 됩니다. 그런 것은 터무니없는 짓입니다. 지리, 즉 지역에 대한 설명과 식물 관찰은 언제나 동시에 이루어져야 합니다. 지구는 유기체고, 식물은 그 유기체의 머리카락과 같기 때문입니다. 아이는 지구와 식물이 서로 함께 속한다는 표상을, 어떤 지역이든 그곳의 대지에 속하는 식물이 자란다는 표상을 얻을 수 있어야 합니다.

12.　　　달리 말해서 지구와 연결해서 식물을 고찰하고, 지구는 머리카락을 지닌 살아 있는 존재라는 느낌이

아이한테 확실하게 생겨나도록 할 때만 올바르게 일하는 것입니다. 식물은 지구의 머리카락입니다. 여러분도 알다시피 지구에는 중력이, 인력이 있다고 합니다. 중력이 지구에 속한다는 게 자명한 사실이듯, 식물 역시 그 성장력과 더불어 지구에 속합니다. 머리카락과 사람이 따로따로 존재하지 않듯이, 지구와 식물 역시 따로따로 존재하지 않습니다. 그 양자는 서로에게 속합니다.

13.   여러분이 채집통에서 식물을 꺼내 보여 주면서 이름을 맞히게 하는 식으로 가르친다면, 아이들에게 비현실적인 것을, 실재가 아닌 것을 가르치게 됩니다. 그러면 인생에 부정적인 결과가 나옵니다. 왜냐하면 아이들에게 그런 식으로 식물학을 가르치면, 어떻게 논밭을 일구어야 하는지, 비옥한 토지를 만들기 위해 어떻게 거름을 주어야 하는지 등 실질적인 것에 대한 지식을 절대 얻을 수 없기 때문입니다. 식물과 토지가 어떻게 연결되어 있는지 알아야만 토지를 어떻게 일구는지도 알 수 있습니다. 우리 시대 사람들은 실재를 위한 감각을 차츰차츰 잃어버리고 말았습니다. 제가 첫 시간에 말했듯이, 하필이면 이른바 실용적이어야 하는 사람이 그런 감각이 거의 없습니다. 이들 모두 실은 이

론가입니다. 오늘날 사람들은 실재에 대한 감각이 전혀 없기 때문에 모든 것을 분리시켜서 따로따로 고찰합니다.

14.　　사정이 그렇다 보니 지난 50~60년 사이에 아주 많은 지역에서 농작물이 퇴화 상태에 이르렀습니다. 최근 중유럽에서 대규모 농업 학회가 열렸습니다. 거기에서 농부들 스스로 고백하기를, 과일의 질이 너무 나빠져서 앞으로 50년 내에는 사람들이 과일다운 과일을 먹을 수 없게 될 것이라고 했습니다.

15.　　왜 그렇습니까? 거름으로 토지를 활성화할 줄 모르기 때문입니다. 거름으로 토지를 되살릴 줄 모릅니다. 식물이 그 자체로 독립된 존재라는 개념을 가르치니 거름으로 토지를 되살리는 것을 어떻게 이해할 수 있겠습니까? 머리카락이 그 자체로서 어떤 존재가 아니듯, 식물도 그 자체로는 아무것도 아닙니다. 머리카락이 그 자체로서 어떤 존재라면 사실 아무 문제도 되지 않습니다. 그것이 자라도록 왁스나 수지獸脂에 박아 놓던지요! 문제는, 머리카락이 사람의 두피에서 자란다는 것입니다.

16.　　지구와 식물이 어떻게 서로 함께 속하는지 알아보고 싶다면, 한 식물이 어떤 종류의 토지에 속하는지

알아야 합니다. 그리고 지구와 식물계를 전체로 고찰할 때만, 하나의 유기체인 지구에서 성장하는 것이 식물이라 생각할 때만, 토지에 어떤 거름을 주어야 하는지 실제로 알아볼 수 있습니다.

17.   그렇게 함으로써 아이가 살아 있는 지구 위에 서 있다는 느낌을 처음부터 얻습니다. 이는 인생 전체를 위해 커다란 의미가 있습니다. 지층의 생성에 관해 오늘날 사람들이 어떻게 생각하는지 한번 숙고해 보십시오. 지층이 그냥 그렇게 차곡차곡 쌓였다고 상상합니다. 그런데 여러분이 지층으로 보는 모든 것은 경화된 식물입니다. 살아 있었던 것이 딱딱해진 것일 뿐입니다. 오늘날 석탄은 아주 먼 과거에 육지가 아니라 물속에서 자란 식물이었습니다. 그런데 그런 종류에 속하는 것은 석탄뿐이 아닙니다. 화강암, 편마암 등도 먼 과거에 식물과 동물이 경화된 것입니다.**05**

18.   이런 것도 지구와 식물을 전체로서 함께 관찰할 때만 이해할 수 있습니다. 이 주제에서 중점은 아이가 식물에 대한 지식이 아니라 올바른 감각을 얻는 데에

---

05   『인간의 질문과 세계의 대답』(GA213)에서 1922년 7월 2일 강의, 『인간과 지구의 삶에 관하여』(GA349)에서 1923년 2월 17일 강의 참조

있습니다. 그런데 이는 먼저 정신과학적으로 고찰해야 비로소 이해가 가는 것입니다.

19.　　여러분 영혼이 최상의 의지로 가득 차서 다음과 같이 말한다고 한번 상상해 보십시오. "아이는 모든 것을 실제로 보면서 배워야 한다. 식물도 보면서 배워야 한다. 나는 일찌감치 그런 식으로 아이들을 가르칠 것이다. 예쁘게 색칠한 채집통에 식물을 수집해서 아이들에게 보여 주겠다. 그것이 실재이기 때문이다. 나는 이것이 실재라고, 실물 수업이라고 믿는다." 문제는, 실재가 전혀 아닌 것을 바라본다는 것입니다. 오늘날 이 실물 수업으로 정말 몹쓸 짓을 하고 있습니다!

20.　　실물 수업을 통해 식물계를 배우면, 아이는 모든 것이 서로 무관하게 존재한다고 느낍니다. 이는 머리카락이 왁스에서 자라든 사람의 두피에서 자라든, 무슨 상관이냐고 생각하는 것과 똑같습니다. 머리카락은 왁스에 박아 두면 자라지 않습니다. 아이가 모든 것이 서로 무관하게 존재한다는 개념을 수용하면, 그 개념은 아이의 영혼이 정신세계를 벗어나 지상에 내려오기 전에 받아들인 것과 전적으로 모순됩니다. 정신세계에서 지구는 완전히 다르게 보입니다. 그곳에서는 지상의 광물계와 자라나는 식물계의 합일성이 아이에게, 달리

말해 아이 영혼에 생생하게 다가옵니다. 왜 그렇겠습니까? 아직 광물적이지 않고 이제 막 광물화되는 도중에 있는 것, 즉 에테르적인 것을 아이 영혼이 수용해야 하기 때문입니다. 그렇게 함으로써 아이 영혼은 육체를 가진 인간으로 이 세상에 태어날 수 있습니다. 영혼은 식물적인 것에 들어가 하나가 되어야 하는데, 식물적인 것은 지구와 유사하게 보입니다.

21.   일반 학교에서 보통 하듯이 식물학을 가르치면, 아이가 저 세상에서 이 세상으로 내려올 때 체험하는 일련의 느낌에, 그 풍부한 느낌 세계 전체에 무질서한 혼돈이 야기됩니다. 그에 반해 지구와 연결해서 식물계를 가르치면, 아이 내면에 환호성이 터집니다.

22.   아이들에게 동물계를 소개할 때도 이와 유사한 방식으로 고찰해야 합니다. 그런데 동물은 보통 하듯이 관찰해도 즉시 눈에 띄는 것이 있습니다. 동물은 대지에 속하지 않는다는 것입니다. 동물은 대지 위에서 돌아다니고, 장소를 옮길 수 있습니다. 지구에 대한 동물의 관계는 식물과 완전히 다릅니다. 동물은 눈에 띄는 것이 또 있습니다.

23.   지상에 살고 있는 다양한 동물을 우선 그 영적 특성에 따라 관찰해 봅시다. 잔인한 육식 동물이 있는

가 하면, 온순한 동물과 용감한 동물도 있습니다. 예를 들어서 새 중에 매우 용감한 전사형이 있습니다. 포유 동물 중에도 용감한 종류가 있습니다. 사자처럼 위엄을 갖춘 동물도 있습니다. 그렇게 동물 세계에서 아주 다양한 영적 성격을 보게 됩니다. 그리고 이 동물은 이런 특성을, 저 동물은 저런 특성을 지닌다고 말합니다. 호랑이는 잔인하다고 말합니다. 그리고 그 잔인성이 호랑이가 보이는 가장 의미심장하고 현저한 특성입니다. 양은 양순한 동물이라고 합니다. 양순함이 양에게서 보이는 가장 두드러진 특성입니다. 우리는 당나귀를 굼뜬 동물이라고 합니다. 당나귀가 실제로는 그리 심하게 굼뜨지 않다 해도, 굼뜬 타성을 생각나게 하는 특정 자세가 당나귀에게 있기 때문입니다. 그 굼뜬 자세는 상태를 변화시키기 싫어한다는 데에서 주로 보입니다. 당나귀가 무슨 일로 심사가 뒤틀려 빨리 걷지 않겠다고 마음먹으면 무슨 수를 써도 절대로 더 빨리 걸어가지 않습니다. 이런 식으로 동물마다 특유의 성격이 있습니다.

24.   인간은 그런 식으로 생각할 수 없습니다. 이 사람은 얌전하고 순한 반면 저 사람은 잔인하고, 또 다른 사람은 용감하다고 생각할 수 없습니다. 인류가 그런

식으로 분포되어 있다면 너무 단조롭다는 느낌이 들 것입니다. 인간 역시 한 가지 성격을 특정한 의미에서 일방적으로 양성합니다. 그래도 동물처럼 심한 정도는 아닙니다. 그리고 동물에 비해 인간의 경우 더 필요한 것은, ─ 특히 우리가 인간을 길러 내고 싶다면 ─ 인생의 특정 문제와 상황에 있어서 어떤 경우에는 참을성을 가지도록, 다른 경우에는 용감해지도록, 또 다른 경우에는 비록 동종 요법적으로 극소량이라 해도 심지어는 잔인해 질 수 있도록 교육해야 한다는 것입니다. 인간은 자연적 진화를 거쳤다는 이유에서라도 특정 상황에서 잔인성 같은 것을 드러내도록 되어 있습니다.

25. 　　그런데 우리가 인간과 동물의 영적 특성을 살펴보면 실제로 어떻습니까? 한 인간은 각 동물이 지니는 특성 모두를 통틀어서 지니고 있다는 것을 발견합니다. 동물은 각 동물마다 한 가지 주요 특성이 있습니다. 인간은 조금씩이지만 모든 동물의 성격을 지니고 있습니다. 인간은 사자만큼은 아니지만 위엄스러운 면이 조금은 있습니다. 호랑이처럼 잔인하지는 않지만 역시 조금은 잔인성이 있습니다. 양처럼 순하지 않아도 조금은 순한 면이 있습니다. 당나귀처럼 굼뜨지 않지만, ─다행히도 모든 사람이 그렇게 굼뜨지는 않습니다.─ 당나귀

같이 굼뜬 성격을 조금은 지니고 있습니다. 모든 사람이 그렇습니다. 이 주제를 올바르게 다루려 한다면 다음과 같이 말할 수 있습니다. "인간은 사자와 양, 호랑이, 당나귀의 성격을 모두 지니고 있다." 그 모든 성격이 인간 내면에 들어 있습니다. 단 그 모든 성격은 인간 내면에서 조화를 이루고 있을 뿐입니다. 모든 성격이 상호 간에 마모됩니다. 그 모든 성격의 조화로운 융합이 인간입니다. 좀 유식하게 표현하자면, 인간은 각 동물에서 보이는 다양한 영적 성격의 신테시스synthesis, 즉 합合입니다. 그리고 사자 같은 성격, 양 같은 성격, 호랑이 같은 성격, 당나귀 같은 성격 등을 골고루 적정량으로 인간의 전체 존재에 들여놓을 수 있다면, 그 모든 성격을 적절하게 인간에 스며들게 해서 각 성격이 올바른 관계를 이루도록 한다면, 인간 교육에서 올바른 목표를 달성한 것입니다.

26.   이를 훌륭하게 대변하는 그리스 속담이 있습니다. "용맹과 지혜가 결혼하면 복이 굴러든다. 용맹 혼자 날뛰면 파멸이 따른다." 사람이 독수리처럼 언제나 공격적이고 용감하기만 하다면, 인생을 통틀어 유익한 것을 전혀 이루지 못합니다. 그런데 특정 동물에서 보이는 기지와 하나가 되도록 용맹성을 기른다면 올바르

게 교육하는 것입니다.

27.　　인간 교육의 중점은 동물계에 널려 있는 모든 것을 조화롭게 합일시키는 데에 있습니다. 그 관계를 다음과 같이 설명할 수 있습니다. 동물 한 마리가 있습니다. 저는 그저 도식적으로 그리겠습니다. 다른 동물 한 마리가 있습니다. 그리고 또 다른 동물이 있습니다. 지구 상에 존재 가능한 모든 동물이 있다고 합시다.

28.　　이제 이 동물들이 인간과 어떤 관계에 있을까요?

그림6

29.　　어떤 종류의 동물과 유사한 특성을(그림6을 그린다) 가진 사람이 있다고 합시다. 그런데 그 사람의 특성은 동물에서 볼 수 있듯이 완벽하지 않고 좀 순화된 상태에 있습니다. 이제 다른 것이 연결됩니다.(그림6 참조) 이 역시 동물이 지니는 성격 그대로가 아닙니다. 이제 이것이 다음에 있는 다른 동물의 한 부분에 들어가 합쳐

집니다.(그림6의 마지막 그림 참조) 이런 식으로 인간은 모든 동물을 내면에 포괄합니다. 동물계는 널리 퍼져 있는 인간입니다. 그리고 인간은 하나로 수렴된 동물계입니다. 달리 말해 모든 동물은 인간을 통해 하나로 합일되어 있습니다. 인간 전체를 분해하면 전체 동물계가 나옵니다.

30.　　이는 형상에 있어서도 마찬가지입니다. 사람 얼굴을 한번 생각해 보십시오.(그림7을 그린다) 얼굴 옆모습에서 이 부분(그림에서 사선 친 이마 부분)을 떼어 내서 조금 앞쪽에 갖다 붙입니다. 앞쪽이 조금 길어지도록 합니

그림7

다. 그러니까 이마를 이렇게 아래로 누르면, 얼굴 옆모습과 더 이상 조화를 이루지 못하면서 개의 머리가 나옵니다. 조금 다른 방식으로 머리 형태를 바꾸면 사자 등 다른 동물의 머리가 나옵니다.

31.　　　세상에 동물로 널려 있는 형태가 순화되고 조화된 상태로 인간의 외적 형태에 들어 있다는 것을 인간 유기체의 모든 기관에서 발견할 수 있습니다.

32.　　　뒤뚱뒤뚱 걸어가는 오리를 한번 보십시오. 그렇게 뒤뚱거리는 오리한테 있는 것을 여러분도 지니고 있습니다. 바로 손가락 사이에 있습니다. 단지 퇴화되었을 뿐입니다. 이렇게 동물계에서 보이는 모든 것은 역시 인간계에도, 달리 말해 인간의 형태에도 존재합니다. 이런 식으로 인간은 동물계에 대한 자신의 관계를 발견합니다. 어떻게 동물 모두를 합치면 인간이 되는지 알아보도록 배웁니다. 다소 간에 차이가 있다 해도 모두 나름대로 가치를 지닌 사람 수십억 명이 지구 상에 존재합니다. 그런데 그 모든 인류 외에 거인 한 명이 더 존재합니다. 바로 전체 동물계입니다. 전체 동물계는 거대한 인간입니다. 단, 합의 상태가 아니라 수많은 개체로 분해된 상태에 있는 것이지요.

33.　　　여러분 육체의 모든 부분이 아주 유연하다면, 달

리 말해 몸이 극히 유연해서 특정 방향으로 늘어나거나 변형된다면, 특정 동물이 생겨날 것입니다. 예를 들어서 눈 주변이 굉장히 유연하다고 합시다. 그 부분이 밖으로 불거지고 점점 더 부풀면, 어떤 종류의 동물이 나올 것입니다. 이렇게 인간은 내면에 동물계 전체를 지니고 있습니다.

34.   옛 시절에는 동물계 이야기도 이런 식으로 가르쳤습니다. 유익하고 건강한 지식을 가르쳤던 것이지요. 그런 것은 이제 사라지고 없습니다. 알고 보면, 그런 것이 없어진 시대는 상대적으로 그리 먼 과거가 아니었습니다. 18세기 전만 해도 사람들은 후각 신경이 충분히 커져서 코 뒤쪽으로 계속 이어지면, 개가 된다는 것을 잘 알고 있었습니다. 후각 신경이 퇴화되어 신경의 한 부분만 남고 다른 부분은 변형되면 인간의 지성 생활을 위한 신경이 생성됩니다.

35.   냄새를 맡는 개를 한번 봅시다. 개의 후각 신경은 코에서 뒷머리 쪽으로 이어집니다. 개는 사물의 특성을 냄새로 알아봅니다. 사물을 표상하지 않고, 모든 것을 냄새로 알아봅니다. 개는 의지와 표상이 아니라 의지와 냄새를 지닙니다. 우리는 좋아하거나 싫어하는 냄새 몇 가지만 알고 있지요. 그렇지 않습니까? 개는 수

많은 종류의 냄새를 분간할 수 있습니다. 후각을 더 정교하게 만들기 위해 어떻게 개를 조련하는지 생각해 보십시오. 최근에는 경찰견도 생겼습니다. 도둑이 든 장소에 개를 데려가서 도둑의 냄새를 맡게 합니다. 그 다음에 개가 그 냄새를 따라가게 해서 결국 도둑을 체포하는 것이지요. 실제로 개에게는 믿을 수 없이 세분화되고 다양한 냄새의 세계가 있기 때문에 가능합니다. 두개골 후방으로 계속되는 후각 신경이 바로 그 담당 기관입니다.

36.   개의 코를 통과하는 후각 신경을 그림으로 그리면 뒤쪽으로 신경이 계속되도록 그려야 합니다. 인간은 아래쪽 한 부분만 조금 남아 있을 뿐입니다. 다른 부분은 변형되어서 이마 아래에 수직으로 서 있습니다. 변형된 후각 신경, 전환된 후각 신경입니다. 우리는 그것으로 표상을 형성합니다.**06** 그래서 우리는 개처럼 냄새를 잘 맡지 못하는 대신 표상을 할 수 있습니다. 냄새를 맡는 개를 우리 안에 데리고 다닙니다. 단 그 개는 변형된 상태입니다. 이런 식으로 우리는 변형된 모든

---

06   『건강과 질병에 관하여』(GA348), 1922년 12월 16일~22일까지 행한 강의 참조

동물을 우리 안에 지니고 있습니다.

37.   그에 대한 표상을 불러일으켜야 합니다. 유명한
독일 철학자 쇼펜하우어Arthur Schopenhauer는 『의지와
표상으로서의 세계』라는 책을 썼습니다. 그 책은 사람
을 위한 것이지요. 천재적인 개가 썼다면 필시 '의지와
냄새로서의 세계'라는 제목을 붙였을 것입니다. 저는
이 책이 쇼펜하우어의 책보다 훨씬 더 흥미로울 것이
라 확신합니다.

38.   갖가지 모양의 동물을 보면서, 각 동물이 그저
그 자체로 존재한다는 식으로 아이들에게 가르쳐서는
안 됩니다. 아이들에게 언제나 다음과 같은 표상을 만
들어 주려고 노력하십시오. "어디 한번 보자. 사람은 이
런 모양을 하고 있단다. 사람이 이 방향으로 변형된다
고 한번 상상해 보자. 이 방향으로 다른 부분과 합쳐져
서 단순화된다고 상상하면, 어떤 종류의 동물이 나온
다. 거북이 같은 하등 동물 아래에 캥거루를 붙이면, 그
러니까 캥거루 위에 거북이를 얹으면, 위쪽에 딱딱하
게 굳은 머리 같은 것이 생긴다. 이 머리는 특정 관계에
서 보아 거북이 모양을 하고 있다. 그리고 아래에 캥거
루는 특정 방식에서 보아 사람의 사지다."

39.   이런 식으로 저 넓은 세상 어디에서나 인간과 여

러 다양한 동물 사이의 관계를 찾아낼 수 있습니다.

40.　　이런 것이 우스워서 지금 여러분은 웃고 있습니다. 그래도 아무 문제가 되지 않습니다. 교실에 웃음꽃이 만발하면 정말 좋습니다. 왜냐하면 교실에서 유머보다 더 나은 것은 없기 때문입니다. 아이들이 학교에서 역시 웃을 수 있어서 언제나 끔찍하게 긴장된 얼굴로 교사를 바라보지 않아도 된다면, 아이들이 긴장된 얼굴로 무조건 똑바로 앉아 있어야 한다고 믿지 않아도 된다면, 교실에 유머가 넘쳐서 아이들이 웃을 수 있다면, 그것이 최상의 수업입니다. 아주 진지하고 엄격한 교사는 아이들과 아무 일도 하지 못합니다.

41.　　일단 원리에 있어서 동물계를 설명했습니다. 상세한 사항은 시간이 허락하는 내에서 다루기로 하겠습니다. 그래도 지금까지 이야기한 내용은 동물계가 세상에 널려 있는 인간이라는 사실을 가르치기에 결코 부족하지 않습니다.

42.　　그렇게 하면 아이에게 아주 섬세하고 아름다운 느낌이 생성됩니다. 이미 암시했듯이 아이가 식물계는 지구에 속하고 동물계는 자신에 속하는 것으로 배우기 때문입니다. 그렇지 않습니까? 식물계와 동물계를 그런 식으로 가르치면, 아이는 지구 전체와 함께 자

라고 지구와 하나로 결합됩니다. 생기 없는 흙이 아니라 살아 있는 땅 위에 서 있으면서 지구가 살아 있다고 느낍니다. 아이가 지상에 서 있으면서 살아 있는 거대한 유기체 위에, 예를 들어서 고래같이 커다란 유기체 위에 서 있다는 표상을 차츰차츰 얻습니다. 그것은 올바른 느낌입니다. 오직 그것만 온전하게 인간적인 세계 감각으로 인도합니다.

43.   아이는 동물을 보면서 모든 동물은 인간과 유사한 것을 지니고 있다는 느낌을 얻습니다. 그뿐 아니라 인간은 내면에 모든 동물을 합일해서 지니고 있기 때문에 모든 동물을 능가하는 어떤 것을 지닌다는 표상도 얻습니다. 인간이 동물에서 유래한다는 등의 자연과학적 수다는 이런 식으로 교육된 사람들에게 비웃음만 사게 될 것입니다. 인간은 전체 동물계며, 내면에 모든 동물을 합으로서 지니고 있다는 사실을 알아보게 될 것입니다.

44.   9~10세 아이는 주체인 자신과 객체인 세계를 구분할 수 있게 됩니다. 자신과 주변 세계를 구분할 줄 알게 됩니다. 더 어린 아이에게는 사람처럼 말하고 행동하는 암석, 식물, 동물 등이 등장하는 동화나 신화를 들려줄 수 있을 뿐입니다. 자신과 주변 환경을 구분하

지 못하기 때문입니다. 9, 10세가 되면 아이가 자신과 주변 환경을 구분할 수 있게 되고, 우리는 다시금 더 높은 단계에서 아이가 주변 환경과 하나가 되도록 가르쳐야 합니다. 이제 우리는 아이가 서 있는 땅과 그곳에 자라는 식물은 당연히 서로 속한다는 사실을 가르쳐야 합니다. 그러면 이미 이야기했듯이 아이가 농사를 위한 실질적인 감각을 얻습니다. 식물이 자라는 토지를 활성화할 필요가 있기 때문에 거름을 준다는 것을 배웁니다. 채집통에 모아온 식물을 하나씩 꺼내 보여 줄 때처럼 식물을 독자적 존재로 고찰하지 않습니다. 이렇게 수업을 하면 아이는 동물도 독자적 존재로 여기지 않습니다. 동물계 전체를 지구 상에 널려 있는, 분해된 커다란 인간으로 고찰합니다. 그러면 아이는 지구 상에 존재하는 그대로의 인간을 배웁니다. 동물이 인간과 어떤 관계에 있는지 알게 됩니다.

45.   10~12세까지 아이에게 식물과 지구, 동물과 인간에 관해 이런 표상을 일깨워 주는 데에는 매우 깊은 의미가 있습니다. 그렇게 함으로써 아이가 자신의 육체생활, 영혼생활, 정신생활 전체와 더불어 완전히 특정한 방식으로 세상에 들어섭니다.

46.   식물과 토지가 서로 속한다는 느낌을 가르치면

— 이 모든 것을 느낌에 걸맞게 예술적으로 가르쳐야 합니다. — 아이가 영리해집니다. 정말로 영리하고 똑똑해집니다. 이는 아이가 자연스럽게 생각할 줄 알게 된다는 의미입니다. 인간이 동물과 어떤 관계에 있는지를 가르치고자 노력하면, — 비록 수업을 통해서만 그렇게 한다 해도, 어떤 결과가 나오는지 보게 될 것입니다. — 모든 동물의 의지가 인간 내면에서 활성화됩니다. 분화되고, 적절히 개인화된 의지가 인간 내면에서 활성화됩니다. 달리 말해 동물에 새겨진 모든 형태 감각과 특성이 인간 내면에 되살아나는 것이지요. 그렇게 함으로써 인간 의지가 자극되고, 인간이 자신의 본성에 따라 자연스러운 방식으로 이 세상에 들어서게 됩니다.

47.　　저는 오늘날 사람들이 완전히 뿌리 뽑혔다고 표현하고 싶은데, 그 상태로 세상에 돌아다닙니다. 왜 사람들이 그렇게 세상에 돌아다닙니까? 오늘날 사람들이 어떻게 세상에 돌아다니는지 한번 보십시오. 제대로 걸을 줄을 모릅니다. 발을 제대로 바닥에 대지 못합니다. 다리를 질질 끌고 다닙니다. 체육 시간에 무엇을 배우기는 하는데, 그 역시 부자연스럽습니다. 다른 무엇보다도 정말 암담하기 짝이 없는 생각을 합니다. 인생을 어떻게 살아야 할지, 무엇을 해야 할지 모릅니다.

기껏해야 재봉틀이나 전화기 앞에 앉혀 두거나, 기차 여행이나 세계 여행을 준비해 주면 어떤 것을 조금 해 보려 할까... 그런데 자기 자신과는 아무것도 시작할 줄 모릅니다. 왜냐하면 교육을 통해 적절한 방식으로 세상에 세워지지 않았기 때문입니다. 세상에 인간을 올바르게 세우기, 이것은 올바르게 교육해야 한다는 상투어만 줄기차게 남발한다고 이루어지는 게 아닙니다. 땅에 식물을 제대로 심기, 올바른 방식으로 동물을 인간 옆에 세우기, 이와 같이 인간을 위해 구체적이고 개별적인 것을 발견할 때만 할 수 있습니다. 그러면 인간은 올바른 방식으로 지구 상에 서서 올바른 방식으로 세상을 마주 대할 수 있습니다. 이것을 전체 수업을 통해 달성해야 합니다. 바로 이것이 중요하고 본질적인 것입니다.

48.　　　언제나 인간 발달에 근거해 각 연령대 자체가 요구하는 것을 발견하는 것이 가장 중요합니다. 그렇게 하기 위해 우리에게 필요한 것은 진정한 인간 관찰, 진정한 인간 인식입니다. 방금 설명한 두 가지를 다시 한 번 고찰해 봅시다. 9, 10세가 되기 전까지 아이는 외부 세계와 자신을 아직 구분하지 못하기 때문에, 우리는 자연 전체를 생생하게 살아 있는 것으로 만들어야 할

필요가 있습니다. 그렇게 하기 위해서 아이에게 동화, 신화, 우화를 이야기해 줍니다. 주변에 존재하는 것에 대해서는 우리 스스로 어떤 것을 고안해야 합니다. 저 아래 깊은 곳에 있으면서 천천히 세상으로 들어서는 아이 영혼이 그 깊은 곳에서 건져 내는 것을 그림 같은 이야기 형태로 예술적으로 가르치기 위해서 그렇게 합니다. 9~10세를 넘은 아이, 즉 10~12세 아이라면 이미 설명한 것처럼 동물계와 식물계를 소개합니다.

49.   그런데 명확히 해야 할 것이 하나 있습니다. 오늘날 널리 애호되는 인과성의 개념, 원인과 결과의 개념을 파악하려는 욕구가 10, 11세까지 아이에게는 전혀 없다는 것입니다. 우리는 습관적으로 모든 것을 원인과 결과에 따라 고찰합니다. 자연 과학적인 교육이 사람을 그 방향으로 몰아가고, 그로 인해 어디에서나 모든 것을 원인과 결과에 따라 고찰합니다. 11, 12세가 되지 않은 아이에게 일상생활에서 흔히 하듯이 원인과 결과에 대해 말한다면, 그것은 색맹인 사람에게 색채에 대해 말하는 바와 똑같습니다. 오늘날 원인과 결과에 대해 이야기하는 식으로 말을 하면, 그 말은 아이 영혼을 그저 스쳐 지나가고 맙니다. 아이에게 우선 필요한 것은 생생하게 살아 있는 그림, 원인과 결과를 절대로

물어보지 않는 생동적 그림입니다. 10세가 지난 후에도 원인과 결과에 대해서 말해서는 안 됩니다. 그 대신 원인과 결과에 의거한 그림을 제시합니다.

50.　　　12세 정도 되면 아이는 원인과 결과에 대해 들을 수 있을 만큼 성숙합니다. 그래서 그 나이가 되어야 인과성과 관계하는 인식 분야를 원인과 결과에 대해 오늘날 보통 말하듯이 가르칠 수 있습니다. 달리 말해 무생물을 다루는 자연 물리학 등은 아이가 11, 12세가 되어야 비로소 수업 계획에 넣을 수 있습니다. 그 이전에 광물, 물리학, 화학에 관한 것을 가르쳐서는 안 됩니다. 이 과목은 11세 이전 연령대에 속하지 않습니다.

51.　　　이제 역사 수업을 봅시다. 역사 수업에서도 12세가 되기 전 아이는 그림을 얻어야 합니다. 개별적 인물의 그림, 사건의 그림, 조망 가능한 아름다운 그림. 모든 주제가 그림을 영혼 앞에 생생하게 나타나도록 합니다. 다음에 일어나는 일을 이전에 있었던 사건의 결과로 보는 역사 고찰은 오늘날 사람들이 아무리 자랑스럽게 여긴다 해도 절대 아이들을 위한 것은 아닙니다. 역사에서 원인과 결과를 찾는 실질적인 역사 고찰은, 색맹이 색채를 이해하지 못하는 것과 똑같이 아이들에게는 이해할 수 없는 것입니다. 모든 것을 인과성

의 원리에 따라 가르치면, 아이는 인생에 대해, 계속 전진하는 인생에 대해 완전히 잘못된 표상을 얻게 됩니다. 이 점을 한 가지 그림으로 명확히 보여 주겠습니다.

52.　　여기에 강이 흐른다고 한번 상상해 보십시오.(그림8을 그린다) 강물 표면에 파도가 일어납니다. 파도 c는 파도 b에서 생겨나고, 파도 b는 파도 a에서 생겨나서 c는 b의 결과고, b는 a의 결과라고 말한다면, 여러분은 절대 올바르게 일할 수 없습니다. 표면에 파도가 끓어오르게 하는 것은 훨씬 아래 깊은 곳에서 작용하는 온갖 종류의 힘이기 때문입니다. 역사도 이와 마찬가지입니다. 역사에서 1910년에 일어난 사건이 1909년에 일어난 사건의 결과라고 말할 수 없습니다. 발달 과정에서 표면에 파도를 불러일으키는 것은 조류 저변에서 올라온다는 사실에 대한 감각이 일찌감치 생겨나야 합니다. 그런데 그 감각은 아이가 12세가 되기 전에는 그림을 제시하는 식으로, 나이가 좀 들어서 12세 정도가 되면 인과성을 가르치는 식으로 수업을 할 때만 생겨납니다.

53.　　이런 식으로 수업을 하려면 당연히 교사의 상상력이 요구됩니다. 이 요구 사항은 반드시 충족되어야

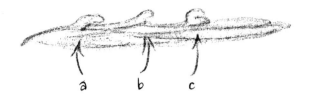

a　b　c

그림8

합니다. 교사가 인간 인식을 습득하면, 그 요구 사항을 충족시킬 수 있습니다. 바로 이것이 중점입니다.

54.　　실제로 인간 본성이 요구하는 대로 교육하고 수업해야 할 뿐 아니라 도덕적 자질과 관련한 교육 역시 병행되어야 합니다. 오늘 수업의 마무리로 그에 대해 몇 가지를 덧붙이겠습니다. 도덕적 자질을 위한 교육 역시 중점은 아이의 본성 자체를 읽어 내는 데에 달려 있습니다. 일곱 살 먹은 아이에게 원인과 결과에 관한 개념을 가르친다면, 인간 본성의 발달에 어긋나게 일하는 것입니다. 아이를 특정 방식으로 체벌하면, 역시 인간 본성의 발달에 어긋나게 일하는 것입니다.

55.　　발도르프학교에서 체벌을 하면서 굉장히 흥미로

운 경험을 할 수 있었습니다. 일반 학교에서는 어떻게 체벌합니까? 아이들 몇 명이 수업 중에 어떤 것을 제대로 하지 않았다고 합시다. 그러면 빙과 후에 남아서 산수 문제 같은 것을 풀게 하지 않습니까? 발도르프학교에서 아주 진기한 일이 벌어졌습니다. 개구쟁이 서너 명이 어떤 것을 제대로 하지 않았습니다. 그래서 교사가 방과 후에 학교에 남아서 산수 문제를 풀어야 한다고 했습니다. 그러자 다른 아이들이 너도나도 이렇게 말했습니다. "우리도 함께 남아서 산수 문제를 풀고 싶어요!" 아이들은 산수 문제를 푸는 것은 좋은 일이라고 배웠기 때문입니다. 벌을 받는 의미에서 산수 문제를 푸는 게 아니라고 생각한 것이지요. 학교에 남아서 산수 문제를 푸는 게 나쁜 일이라고 전혀 생각하지 않게 해야 합니다. 교사가 그렇게 했기 때문에 반 아이들 모두 방과 후에 교실에 남아서 함께 산수 문제를 풀고 싶어한 것입니다. 아이가 올곧은 영혼생활 안에서 교육되어야 한다면, 체벌이라고 전혀 생각되지 않는 방법을 선택해야 합니다.

56.   다른 예를 하나 더 들겠습니다. 우리 발도르프학

교의 슈타인 박사[07]는 교육과 관련해 순간적인 재치를 자주 보여 주는, 아주 훌륭한 모범 교사입니다. 그 선생님이 한번은 수업 중에 반 아이들이 책상 밑으로 쪽지를 주고받는 것을 알아챘습니다. 아이들이 수업에 집중하지 않고 서로 편지를 주고받은 것이지요. 슈타인 박사는 쪽지를 주고받는 아이들을 나무라지 않았습니다. '수업 중에 그런 짓을 하다니, 이제 너희들은 벌을 서야 한다.'고 대응하지 않았습니다. 그 대신 갑자기 우편 제도에 관한 이야기를 하기 시작했습니다. 담임 선생님이 생뚱맞게 갑자기 우편 제도에 관한 이야기를 하니까 아이들은 어리둥절했습니다. 그런데 결국 왜 선생님이 우편 제도에 관한 이야기를 하는지 눈치챘습니다. 우회로를 찾는 이 섬세한 방식은 사람을 부끄럽게 만듭니다. 아이들은 자기들이 한 짓을 부끄러워했고, 더 이상 수업 중에 쪽지를 주고받지 않았습니다. 교사가 우편 제도에 관해 이야기하면서 엮어 넣은 생각만으로 그렇게 되었습니다.

---

[07] Walter Johannes Stein(1891~1957)_ 1932년까지 독일 슈투트가르트 발도르프학교 교사로 재직, 독일 나치 정권 하에 런던으로 이민해서 작가와 강사로 활동했다.

57.   학급을 이끌려면 이런 식으로 고안해 내는 재치가 있어야 합니다. 교사 세미나에서 배운 것을 진부하게 그대로 따라 해서는 안 됩니다. 교사는 실제로 아이의 존재 전체 속에 이입할 수 있어야 합니다. 슈타인 박사처럼 아이들을 하나하나 불러내지도 않고, 아무도 알아차리지 못한 상태에서 부끄러운 마음이 생겨나게 함으로써 상황에 따라서는 개선이, ─체벌은 개선하기 위해서가 아닙니까? ─ 누구나 아는 거친 방식으로 체벌하는 경우보다 더 빨리 이루어진다는 것을 알아야 합니다. 교사가 특정 자세와 마음가짐으로 아이들 앞에 서면, 다른 방법으로는 절대 균형 잡히지 않는 많은 것도 조화될 수 있습니다.

58.   다른 무엇보다도 교육과 수업이 교사에게 자아인식을 요구합니다. 예를 들어서 어떤 아이가 공책이나 책상에 잉크를 떨어트려서 지저분하게 만들었다고 합시다. 그 아이는 옆에 앉은 짝에게 몹시 화가 났거나, 그저 참을성이 없어서 그랬을 수 있습니다. 그런데 그 잉크 자국 때문에 아이한테 고함을 지르며 교육을 해서는 안 되겠지요. "왜 화를 내니? 화를 내면 안 된다! 좋은 인간은 절대로 화를 내지 않는다! 절대로 화를 내서는 안 되고, 모든 것을 침착한 태도로 참아야 한다!

한 번만 더 화를 내 봐라, 그럼 말이다, 내가 잉크병을 네 머리에 처박을 테다!"

59.　　네, 이런 경우가 실제로 자주 있습니다. 그런데 이런 식으로 교육하면 이루어지는 것이 별로 없습니다. 교사는 자신을 언제나 조절할 줄 알아야 합니다. 무엇 보다도 아이를 꾸짖고 체벌하는 실수를 해서는 절대 안 됩니다. 아이의 잠재 의식이 어떻게 작용하는지 정 말로 알아야 합니다. 인간이 의식적인 오성, 감성, 의지 로 지니는 것은 영혼생활의 한 부분일 뿐입니다. 아이 저변에는 아스트랄체가 엄청난 기지와 이성으로 지배 하고 있습니다.

60.　　제게는 언제나 끔찍해 보이는 것이 있습니다. 교 실에서 책을 들고 서 있는 교사입니다. 교사가 손에 책 을 들고 수업을 합니다. 아니면 교실에 공책을 가지고 들어옵니다. 그 공책에 무엇을 물어볼 것인지 모두 적 혀 있어서 수업 내내 연신 공책을 들여다봅니다. 아이 는 표면적인 의식으로는 그렇지 않지만, 잠재 의식 속 에서는 훨씬 더 영리합니다. 사람이 그런 것을 볼 능력 이 있다면, 아이들이 잠재 의식 속에서 다음과 같이 말 하는 것을 볼 수 있습니다. "내가 배워야 할 것을 선생 님도 전혀 모르고 있잖아. 선생님도 모르는 것을 나는

왜 배워야 하지?" 이것이 바로, 교사가 교실에서 책이나 공책을 들고 가르치면 아이들의 잠재 의식 속에 언제나 떠오르는 판단입니다.

61.   교사는 수업에서 이렇게 측정할 수 없이 섬세한 것에 특히 더 주의를 기울여야 합니다. 왜냐하면 아이의 잠재 의식, 즉 아스트랄적인 것은 교사도 잘 몰라서 공책을 들여다보아야 한다고 알아차리는 순간에 그것을 배울 필요가 없다고 느낍니다. 그리고 아이의 아스트랄체는 표면 상의 의식보다 훨씬 더 확실하게 작용합니다.

62.   이 소견을 강의에 함께 엮어 넣고 싶었습니다. 이에 더해 다음 며칠 동안 과목 수업과 교육 단계를 더 다루겠습니다.

네 번째 강의

1924년 8월 15일

교사의 자연스러운 권위

완벽하지 못해도 용기를 가지고 아이들 만나기

그림 같은 이야기

기질 다루기

형상성에 기대어 가르치기_ 형태그리기

몸을 이용한 연습으로 사고 발달

그림 그리기

주기 집중 수업

7~14세를 위한 교육 예술

01.　　　이갈이를 할 때부터 9, 10세까지 아이 영혼이 수용해야 할 모든 것을 그림같이 상세한 묘사 형태로 가르치려면 어떻게 수업을 해야 하는지를 지난 시간에 이야기했습니다. 아이가 그런 수업을 통해 수용한 것은 자연스럽게 인생 전반에 걸쳐서 계속 작용합니다. 그렇게 평생을 통해 계속 작용하는 것은 생생하게 살아 있는 표상과 감각을 아이 내면에 불러일으킬 때만 가능합니다. 생기 없이 죽은 표상과 감각으로는 절대 그렇게 할 수 없습니다.

02.　　　그렇게 하려면 먼저 교사 스스로 영혼 내용의 삶에 대한 느낌을 반드시 습득해야 합니다. 가르치고 교육하는 사람으로서 참을성 있게 자아 교육을 해야 합니다. 영혼 속에 정말로 싹을 틔우고 성장할 수 있는 것을 일깨우는 데에는 참을성이 있어야 합니다. 이 관계에서 인간은 스스로에게서 가장 훌륭한 발견을 할 수 있습니다. 단, 스스로에게서 그 발견을 할 수 있으려면, 한 번만 시도해 본 후에 금세 용기를 잃어버려서는 안

됩니다.

03.   사람이 어떤 활동을 시작하는 경우, 특히 그 활동이 정신으로 가득 차 있어야 한다면, 어떤 상황이든 자신의 서투름을 기정사실로 받아들여야 합니다. 처음 어떤 일을 서투르고 불완전하게 하면서 자신의 서투름을 받아들이지 못하는 사람은 주도적으로 그 일을 절대 완결하지 못합니다. 특히 가르치고 교육하는 직업에 종사하는 사람은 실제로 해야 할 활동을 먼저 영혼 속에 불붙여야 합니다. 실로 온전히 불붙여야 합니다. 우리가 곰곰이 생각해서 그림 같은 표현을 고안하고, 스스로 고안한 것이 아이들에게 먹혀든다는 것을 한두 번쯤 경험하면, 우리 자신에게서 실로 기이한 발견을 하게 됩니다. 그런 그림을 점점 더 쉽게 만들어 낼 수 있습니다. 예전에는 도저히 상상할 수 없던 정도로 차츰차츰 독창적으로 된다는 것을 봅니다.

04.   그렇게 되려면 용기가 있어야 합니다. 제대로 된 것과는 상당히 거리가 먼 곳에서 우선 꼴사납게 비틀거리며 걸어갈 용기가 있어야 합니다. 아무 솜씨도 없이 서투르게 아이들을 대해야 한다면 차라리 교사가 되지 않는 편이 낫다고 말할 수 있습니다! 바로 거기에서 인지학적 세계관으로 여러분을 더 전진시켜야 합니

다. 다음과 같이 말해야 합니다. "업으로 인해, 카르마로 인해 어떤 것이 이 아이들에게 나를 인도했다. 그래서 나는 서투르고 미숙한 교사라 해도 이 아이들과 함께 있을 수 있다. 내가 솜씨 있고 요령 있게 가르쳐야 할 아이들은 카르마를 통해 미래에 만날 것이다."

05.   이렇게 용기를 가지고 주어진 인생에 과감히 들어서는 것이 교사와 교육자에게 필요합니다. 이는 교육 문제 자체가 교사 문제가 아니라 아이 문제인 것과 마찬가지입니다.

06.   이제 특정한 의미에서 아이의 영혼 속에 심어 줄 수 있는 것을 위한 한 가지 예시를 이야기하겠습니다. 그것은 아이와 함께 성장합니다. 그래서 인생을 살아가면서 먼 훗날에 원천적으로 주어진 것에 다시 돌아갈 수 있고, 느낌과 감각을 건져 낼 수 있게 됩니다.

07.   7, 8세 아이에게 어떤 것을 그림으로 제시하고, 몇 년이 지나 13, 14세가 되었을 때 어떤 형태로든 그 그림에 다시 돌아갈 수 있다면, 수업을 통해 그보다 더 유익하고 풍부하게 작용하는 것은 없습니다. 바로 이런 까닭에 발도르프학교에서는 한 교사가 가능한 한 오랫동안 학급을 맡도록 합니다. 1학년을 맡은 담임 교사가 그 학급과 함께 학년을 올라갑니다. 그렇게 하면 씨앗

처럼 아이들 속에 심어 준 것이 항상 반복해서 교육 수
단의 내용을 방출하기 때문에 유익합니다.

08.   7, 8세 아이들에게 그림이 담긴 이야기를 해 준
다고 한번 생각해 봅시다. 아이들이 그 그림을 즉시 이
해할 필요는 없습니다. 이유는 나중에 설명하겠습니다.
여기에서 중점은, 저는 우아한 형태라고 표현하고 싶은
데요, 교사가 주제를 우아한 형태로 가르치면 아이에
게 분위기가, 정서가 생겨난다는 데에 있습니다. 제가
아이들에게 다음과 같은 이야기를 해 준다고 한번 생
각해 보십시오.

09.   "옛날에 햇빛이 나뭇가지 사이로 비쳐 드는 숲
속에 작은 오랑캐꽃이 있었단다. 그 작은 오랑캐꽃은
커다란 잎들이 무성한 나무 아래에 있었어. 오랑캐꽃
은 커다란 잎사귀 틈새로 내다볼 수 있었단다. 그 틈새
로 파란 하늘을 보게 되었어. 그런데 오랑캐꽃이 파란
하늘을 본 것은 처음이야. 바로 그날 아침에 처음 피어
났기 때문이지. 파란 하늘을 본 오랑캐꽃은 깜짝 놀랐
고 겁이 더럭 났어. 그런데 오랑캐꽃은 자기가 왜 그렇
게 무서워하는지 잘 몰랐어.

10.   마침 그때 개가 한 마리 다가왔어. 그 개는 별로
착해 보이지 않았고, 곧 물 것처럼 심술궂게 생긴 개였

지. 오랑캐꽃이 개한테 물어보았어. '저기 저 위에 나처럼 파란 저것이 무엇인지 말 좀 해 주렴.' 그렇지, 하늘도 오랑캐꽃처럼 파란색 아니니?

11. 개는 아주 심술궂은 얼굴로 이렇게 말하는 것이었어. '오, 저것은 너랑 똑같은 오랑캐꽃이야, 거인 오랑캐꽃. 너를 흠씬 두들겨 패 주려고 저렇게 커다랗게 자라난 거야.'

12. 작은 오랑캐꽃은 더 두렵고 더 겁이 났어. 저기 위에 커다란 오랑캐꽃이 자기를 두들겨 패 주려고 그렇게 커다랗게 자라났다고 믿었기 때문이지. 오랑캐꽃은 꽃잎을 오그라뜨리고 마침 바람결에 흩날려 떨어진 커다란 나뭇잎 아래에 숨어서 그 커다란 오랑캐꽃을 더 이상 올려다보지 않았어. 그렇게 작은 오랑캐꽃은 커다란 하늘 오랑캐꽃이 너무 두려워서 겁에 질린 채 온종일 나뭇잎 아래에 꼭꼭 숨어 있었단다.

13. 다시 새 아침이 밝아 왔어. 커다란 하늘 오랑캐꽃이 자기를 두들겨 패면 어떻게 해야 할지 곰곰이 생각하느라 밤새 한숨도 잘 수 없었단다. 그리고 이제 커다란 오랑캐꽃이 자기를 때릴 것이라고 계속 기다렸어. 그런데 그런 일은 일어나지 않았단다. 커다란 오랑캐꽃은 매질을 하지 않았어.

14.　　아침이 되자 작은 오랑캐꽃은 실그머니 얼굴을 내밀어 보았어. 오랑캐꽃은 전혀 피곤하지 않았단다. 밤새도록 곰곰이 생각했기 때문에 하나도 피곤하지 않았고 활기에 차 있었어. 오랑캐꽃은 말이다, 잠을 푹 자면 피곤해지고, 잠을 자지 않으면 피곤해지지 않는단다. 오랑캐꽃이 아침에 처음 본 것은 막 떠오르고 있는 해님의 발그스름한 얼굴이었단다. 발그스름한 해님 얼굴을 보니까 오랑캐꽃은 더 이상 겁이 나지 않았어. 그 얼굴이 고마웠고 기쁜 마음이 들었단다.

15.　　발그스름한 아침 노을이 점점 사라지고 나자 맑고 파르스름한 하늘이 다시 나타났단다. 하늘이 점점 더 파랗게 되었어. 저 위에 있는 파란색은 자기를 흠씬 두들겨 패 주려는 커다란 오랑캐꽃이라고, 어제 개가 했던 말이 다시 떠올랐어.

16.　　바로 그때 아기 양 한 마리가 다가오는 것 아니겠니? 오랑캐꽃은 저 위에 있는 저 파란 것이 무엇인지 다시 한번 물어보고 싶었단다. '저기 저 위에 있는 것이 무엇인지 너는 알고 있니?' 오랑캐꽃이 물어보니까 아기 양이 대답하기를 '저것은 커다란 오랑캐꽃이야. 너랑 똑같이 파란색이지.' 오랑캐꽃은 다시 겁이 났어. 이제 아기 양도 어제 그 사나운 개와 같은 말을 하리라는

예감이 들었어. 하지만 아기 양은 착하고 온순했어. 아기 양이 아주 착하고 온순한 눈을 하고 있었기 때문에, 오랑캐꽃은 다시 한번 물어보았어. '넌 참 사랑스러운 아기 양이구나. 저 위에 있는 커다란 오랑캐꽃이 나를 때릴 것 같니?'

17.   '아니야, 그렇지 않아. 저 위에 커다란 오랑캐꽃은 너를 때리지 않아. 오히려 저기 저 커다란 오랑캐꽃의 사랑은 네가 지닌 사랑보다 훨씬 더 크단다. 너의 이 작은 몸에 있는 파란색에 비해 훨씬 더 커다란 파란색이 저기 저 위에 커다란 오랑캐꽃에게 있듯이 말이야.' 착하고 순한 아기 양이 이렇게 대답했단다.

18.   그제야 작은 오랑캐꽃은 이해하게 되었어. 저기 저 위에 커다란 오랑캐꽃은 자기를 때리지 않는다는 것을. 그와는 반대로 훨씬 더 많은 사랑을 위해서 아주 많은 파란색을 지니고 있다는 것을. 그리고 커다란 오랑캐꽃은 무엇보다도 이 세상의 적으로부터 작은 오랑캐꽃을 보호하고 지켜 주리라는 것을. 작은 오랑캐꽃은 마침내 안도의 숨을 내쉬었단다. 커다란 하늘 오랑캐꽃의 파란색 모두가 이제는 사방에서 흘러드는 신들의 사랑처럼 느껴졌기 때문이야. 작은 오랑캐꽃은 마음이 내킬 때마다 언제나 커다란 오랑캐꽃을 우러러보

앉아. 마치 오랑캐꽃의 신에게 기도하고 싶다는 듯이."

19.　　　이런 이야기를 들려주면 아이들은 더 이상 말할 필요도 없이 귀를 쫑긋 세우고 듣습니다. 아이들은 이런 이야기에 언제나 귀를 기울이기 마련입니다. 그런데 특별한 분위기로 이야기를 들려줌으로써, 이야기가 끝난 후에도 계속 영혼 속에 그것을 지니고 다루려는 욕구가 조금은 생겨나야 합니다. 이것은 굉장히 중요합니다. 그리고 이 모든 것은, 교사가 자신의 느낌에 따라 아이들을 통제할 위치에 있는지에 달려 있습니다. 그래서 제가 방금 들려준 것과 같은 이야기를 해 줄 때는 동시에 아이들을 통제할 수 있는 규율 역시 고려해야 합니다.

20.　　　우리 발도르프학교에 이야기를 정말 빼어나게 잘하는 선생님이 한 분 있었습니다. 이야기를 하는 재능은 출중했지만 아이들이 완전히 자연스러운 사랑으로 그 선생님을 바라보게 할 만큼의 인상은 남기지 못했습니다. 결론적으로 어떻게 되었겠습니까? 아주 흥미로운 이야기 하나가 끝나고 나면, 아이들이 금세 다른 이야기를 더 듣고 싶어했습니다. 선생님은 아이들 요구를 이기지 못해서 그 다음부터는 두 번째 이야기를 미리 준비했습니다. 그런데 두 번째 이야기를 들은

아이들은 당연히 세 번째 이야기를 듣고 싶어했습니다. 그래서 선생님은 세 번째 이야기를 준비했습니다. 결과적으로 어떻게 되었겠습니까? 아이들이 원하는 만큼 충분히 많은 이야기를 준비할 수 없게 되었습니다. 아이들한테 증기 펌프처럼 끝없이 무엇인가 퍼 넣지 않기, 이 역시 교사가 알아야 할 필수 사항입니다. 어떻게 주제를 바꿔야 하는지 곧 설명하겠습니다. 한 가지 이야기를 들려준 다음에 중점은 그 이야기에 연결해서 아이들한테 먼저 의문이 생겨나도록 하는 데에 있습니다. 아이의 얼굴 표정을 살펴봅니다. 아이가 어떤 것을 물어보고 싶어합니다. 그러면 질문을 하도록 하고 방금 한 이야기에 의거해서 그 질문에 대해 아이와 함께 대화를 나누도록 합니다.

21.   어떤 아이는 교사에게 이런 질문을 하겠지요. "선생님, 왜 개는 그렇게 무서운 대답을 했을까요?" 그러면 마치 아이라도 된 듯이 완전히 천진스러운 방식으로 다음과 같이 가르칠 수 있습니다. "개는 경비나 보초 서는 일을 하기에 적당한 동물이지. 그래서 사람들한테 무섭게 굴어야 해. 사람들은 개를 보면 겁을 내는데, 개는 그런 것에 익숙해져 있단다." 이런 식으로 설명할 수 있습니다. 아기 양의 대답 역시 아이한테 설

멍할 수 있습니다. 한 가시 이야기를 들려준 후에는 이런 식으로 오랫동안 그에 대해 대화를 나누어야 합니다. 그러면 한 가지 질문에 곧바로 다른 질문이 생겨나고, 결국에는 주제가 가능한 온갖 것으로 넘어갑니다. 이때 중요한 것은 교사의 자연스러운 권위입니다. 이때 교사는 권위를 가지고 학급을 평정해야 합니다. 우리는 이 권위에 대해 앞으로 아주 많은 것을 논의할 것입니다. 그렇지 않으면 교사가 한 아이와 대화를 하는 동안 다른 아이들이 소란을 떨기 시작하고 온갖 몹쓸 짓을 합니다. 한 아이와 이야기를 하다가 다른 아이에게 눈길을 돌려서 조용히 하라고 질책을 해야 한다면, 교사는 이미 진 것입니다. 특히 저학년인 경우 교사는 많은 것을 못 본 척, 못 들은 척하고 지나가는 재주가 있어야 합니다.

22.　　언젠가 우리 학교 교사 중 한 분을 보고 굉장히 감탄한 적이 있습니다. 몇 년이 지난 지금은 많이 나아졌지만 그 당시에는 학급이 난장판이었습니다. 교사가 첫 줄에 앉은 아이와 일을 하고 있으면 그 줄에 앉아 있던 다른 녀석이 쪼르르 달려 나와서 교사의 엉덩이를 철석 때렸습니다. 교사가 그런 일에 성을 내면서 야단을 쳤다면, 필시 그 아이는 영원히 망나니로 남았을

것입니다. 선생님은 대수롭지 않다는 듯이 넘겼습니다. 특정 사건은 전혀 눈치채지 못했다는 듯이 넘어가야 합니다. 긍정적인 것을 통해서, 달리 말해 긍정적 의미에서 아이와 함께 일하는 방식과 양식을 통해서 작용해야 합니다. 부정적인 것을 들추어내면 보통은 굉장히 나쁘게 작용합니다.

23.   아이들을 통제할 수 없다면, 그러니까 교사에게 자연스러운 권위가 없다면, ㅡ어떻게 그 권위를 습득하는지에 대해 더 이야기하겠습니다.ㅡ 앞서 언급한 반에서 일어난 경우가 생깁니다. 그 선생님은 한 가지 이야기가 끝나자 다른 이야기를 더 해 주었습니다. 아이들은 흥미진진한 이야기로 언제나 긴장 상태에 있었지만, 그 긴장을 풀 수는 없었습니다. 교사가 이완 상태로 넘어가려고 하면, ㅡ아이들은 이완 상태를 필요로 합니다. 그렇지 않으면 결국 도저히 다룰 수 없는 악동들이 되기 때문입니다.ㅡ 한 녀석이 자리에서 뛰쳐나와 놀이를 시작했습니다. 다른 녀석은 체조를 하기 시작했고, 또 다른 아이는 오이리트미를 했습니다. 어떤 녀석은 자기 짝을 두들겨 패기 시작했고, 어떤 녀석은 교실을 뛰쳐나갔습니다. 순식간에 난장판이 되어서 흥미진진한 이야기를 더 하기에는 도저히 통제할 수 없는

시경에 빠진 것이지요.

24.　　아무리 유익한 내용이라 해도 어떤 여건에서 그 것을 다루는지가 언제나 중점입니다. 이런 면에서 교 사는 실로 기이한 경험을 할 수 있습니다. 교사 스스로 자신을 충분히 신뢰하는지, 그렇지 않은지, 바로 이것 이 여기에서 절대적으로 중요합니다.

25.　　교사는 아이들의 영혼에 완전히 빠져들 수 있는 정서와 영혼 성향을 가지고 교실에 들어서야 합니다. 어떻게 이런 상태에 이를 수 있습니까? 자기 반 아이들 을 잘 알면 그렇게 할 수 있습니다. 교사가 아이들을 잘 알고 있다면, 한 반에 50명 이상의 아이들이 있다 해도 상대적으로 짧은 기간 내에 학급 운용이 가능하다는 것을 여러분은 볼 것입니다. 학급의 아이들을 안다는 것은 무엇을 의미합니까? 아이들을 표상할 줄 안다는 의미입니다. 아이마다 어떤 기질을 지니는지, 어떤 재 능을 지니는지, 어떤 체형인지 등을 안다는 것입니다.

26.　　발도르프학교에서는 전체 수업의 영혼인 교사 회의에서 아이의 개인성을 세심하게 논의합니다. 그렇 게 개인성을 주시하면 교사 회의가 진행되는 동안 교 사 스스로 배우는 것의 본질이 형성됩니다. 그렇게 함 으로써 교사가 스스로를 더 완벽하게 만듭니다. 아이

는 실제로 수많은 수수께끼를 내 줍니다. 그리고 그 수수께끼를 푸는 동안 교사가 학급에 함께 가지고 들어가야 하는 감각이 발달됩니다.

27.   그래서 아이들 내면에 살고 있는 것으로 가득 차 있지 않은 교사가 학급에 들어가면, — 그런 경우가 종종 있습니다. — 수업을 시작한 지 5분도 채 되지 않아서 아이들은 교사의 말을 전혀 듣지 않고 온갖 쓸데없는 짓을 하면서 교실을 난장판으로 만들고 맙니다. 그런 교사는 더 이상 일을 할 수 없게 되고, 결국 담임을 교체해야 합니다. 다른 교사는 학년을 시작하는 첫날부터 학급이 모범적입니다!

28.   여러분이 실제로 이런 것을 경험할 수 있습니다. 오로지 교사의 영혼 상태에 달려 있습니다. 교사의 영혼이 아침에 명상을 하면서 자기 반 아이들 모두 각자의 특성과 함께 마음속에 떠올리는 상태에 있는지.

29.   그렇게 하려면 적어도 한 시간은 걸릴 것이라고 여러분은 말하겠지요. 그렇게 오래 걸리지 않습니다. 한 시간씩 걸린다면 당연히 할 수 없습니다. 10분이나 15분 정도 걸린다면 할 수 있습니다. 물론 처음에는 어렵습니다. 그래도 교사는 이 내면의 심리적 시각을 차츰차츰 습득해야 합니다. 그러면 그 시각으로 모든 것

을 빠르게 조망할 수 있게 됩니다.

30. 그림이 담긴 이야기를 아이들 내면에 들여놓기 위해 필요한 분위기를 만들려면 무엇보다도 아이들의 기질을 볼 줄 아는 눈이 있어야 합니다. 아이들의 기질을 적절하게 다루는 것은 모든 교육과 수업에서 가장 먼저 고려되는 방법론에 속합니다. 기질을 다루는 최상의 방법은 같은 기질의 아이들을 함께 앉히는 것입니다. 적어도 처음에는 그렇게 앉힙니다. 저 뒤에는 담즙질 아이들이, 앞에 한쪽에는 우울질 아이들이, 다른 쪽에는 다혈질 아이들이 있다는 것을 알고 있으면 교실의 전체적 상황을 파악하기가 훨씬 쉽습니다.

31. 아이들을 기질에 따라 연구하고, 기질에 맞추어 함께 앉히면, 단지 그렇게만 해도 이미 교사의 권위를 유지하는 데 필요한 것이 준비됩니다. 이런 것에는 사람들이 흔히 하는 생각과는 다른 근거가 있습니다. 그리고 더 이상 언급할 여지없이 교육에 종사하는 사람은 반드시 내적 수련을 해야 합니다.

32. 점액질 아이들을 함께 앉히면 서로 교정하는 효과가 있습니다. 시간이 흐르면서 서로 너무 지루하다는 생각이 들고, 점액질을 혐오하게 됩니다. 그러면 점점 더 나아집니다. 담즙질 아이들은 서로 치고받고 싸

웁니다. 결국 치고받고 싸우는 짝의 담즙질 성격이 지겨워집니다. 이런 식으로 각자 기질이 마모됩니다. 같은 기질끼리 함께 앉으면, 아이들 상호 간에 그 기질이 매우 훌륭히 마모됩니다.

33.　　그런데 교사 스스로도 아이들과 대화를 나누는 동안 아이들을 기질에 따라 다룰 수 있도록 본능적 재능을 내적으로 자연스럽게 발달시켜야 합니다.

34.　　점액질 아이가 있다고 합시다. 이야기를 들려준 후 점액질 아이와 함께 그에 관해 대화를 하는 경우, 교사는 그 아이의 점액질 성격보다 훨씬 더 강한 점액질 분위기로 말해야 합니다. 다혈질 아이는 한 가지 인상에서 금세 다른 인상으로 넘어갑니다. 한 가지 주제에 절대로 오래 머물지 못합니다. 그런 경우에 저는 그 아이 스스로 다룰 수 있는 것보다 훨씬 더 빠르게 인상을 바꾸려고 노력할 것입니다. 담즙질 아이는 교사 스스로 담즙질에 빠져든다는 듯 일종의 충격을 주는 방식으로 주제를 가르칩니다. 그러면 교사가 보여 주는 담즙질적 행동에 기대어 아이가 차츰차츰 자신의 담즙질 성격을 밀쳐 내는 것을 볼 수 있습니다. 유사한 것은 유사한 것으로 다루어야 합니다. 동종 요법 원리지요. 단, 그렇게 하면서 교사가 우스꽝스럽게 되어서는

안 됩니다. 교사가 이런 방식을 다룰 줄 알면, 이야기를 그저 들려주는 데에 그치지 않고 아이들과 함께 그에 관해 논의할 수 있는 분위기 역시 차츰차츰 생겨나게 할 수 있습니다.

35.   들려준 이야기에 관해 함께 대화를 나누기 전에 아이들한테 그 내용을 말해 보라고 시켜서는 안 됩니다. 최악의 방식은 이야기를 해 준 다음에 곧바로 "아무개야, 내가 한 이야기를 다시 말해 봐라."라고 시키는 것입니다. 이런 것은 무의미합니다. 중점은 아이들한테 들려준 이야기에 관해 똑똑한 것이든 멍청한 것이든, ─교사가 학급에서 언제나 똑똑한 것만 말할 필요는 없습니다. 사실 멍청하게 말해도 상관없습니다. 일단 아이들과 대화를 나눕니다.─ 얼마 동안 아이들과 함께 대화를 나눈다는 데에 있습니다. 그렇게 함으로써 이야기가 아이 자신의 소유물이 됩니다. 일단 그렇게 했다면, 이제 반 아이들 중 누군가에게 이야기를 다시 말해 보라고 시킬 수 있습니다. 하지만 다시 말하도록 시키는 것은 별로 중요하지 않습니다. 이야기를 기억으로 습득하는 것은 중요하지 않기 때문입니다. 지금 다루고 있는 연령대에는, 그러니까 이갈이가 시작될 무렵부터 9, 10세까지는 기억으로 배우는 것이 별로 중

요하지 않습니다. 아이가 어떤 것을 기억하든 잊어버리든 그냥 두는 게 훨씬 더 낫습니다. 기억 양성은 이야기보다는 다른 수업에서 목표로 삼을 수 있습니다. 그에 대해서 더 설명하겠습니다.

36.   이제 한 가지 질문을 다루도록 합시다. 제가 왜 하필이면 그런 내용의 이야기를 선택했을까요? 그 이야기에서 중요한 역할을 하는 표상이 아이와 함께 성장할 수 있는 것이기 때문입니다. 여러분이 나중에 다시 끄집어내서 다룰 수 있는 온갖 것이 그 이야기에 들어 있습니다. 작은 오랑캐꽃은 하늘에 있는 커다란 오랑캐꽃을 보면서 무서워합니다. 저학년 아이에게는 이유를 설명할 필요가 아직 없습니다. 나중에 더 어렵고 복합적인 주제를 다루어야 하고, 그 과정에서 혹시 공포나 두려움이라는 주제가 등장한다면 이 이야기를 들춰낼 수 있습니다. 이 이야기에는 크고 작은 것들이 등장합니다. 인생에서도 역시 크고 작은 사건들이 언제나 반복해서 일어나고 상호 간에 작용합니다. 그래서 나중에 언제든 다시 이 이야기로 되돌아올 수 있습니다. 이 이야기에는 다른 무엇보다 먼저 개의 심술궂은 조언이 나옵니다. 그 다음에 양의 친절하고 호의적인 조언이 나옵니다. 시간이 흘러서 아이가 이런 내용

을 좋아하면서 마음에 품을 수 있을 정도로 성숙해지면, 이 이야기를 다시 끄집어내서 선악에 관한 고찰과 영혼 속에 뿌리내리는 상반된 느낌에 관한 고찰에 연결할 수 있습니다! 아이가 고학년이 되어서 매우 성숙해졌다 해도 이렇게 단순하고 소박한 이야기로 언제나 다시 돌아갈 수 있습니다. 사람이 겁을 먹는 상황을 보면, 대부분은 그 상황을 제대로 파악하지 못했거나 그에 대해 충분히 계몽되지 않아서 잘 모르기 때문입니다. 감성생활의 이런 갈등은 나중에 다른 주제를 다룰 때 논의해야 합니다. 후일 인생에서 이 이야기로 돌아가면 언제나 불가사의 방식으로 그 의미를 재발견할 수 있습니다.

37.　　　나중 학년에서 해야 하는 종교 수업에서도 이 이야기를 정말로 유익하게 이용할 수 있습니다. 미미한 존재를 지켜 주는 위대한 존재에서 어떻게 종교적 느낌이 자라나는지, 신성한 존재의 보호하는 요소를 스스로 내면에서 발견함으로써 어떻게 진정한 종교적 느낌이 발달하는지 등을 이런 이야기로 보여 줍니다. 작은 오랑캐꽃은 자그마한 파란색 존재입니다. 하늘은 커다란 파란색 존재입니다. 그래서 하늘은 작은 오랑캐꽃의 파란색 신입니다.

38.　　　이 이야기는 종교 수업에서 여러 단계로 이용될 수 있습니다. 나중에는 인간 내면 자체가 하나의 신성이라는 주제 역시 이 이야기에 연결해서 비교할 수 있습니다. 아이들이 나이를 먹은 후 적당한 때 다음과 같이 말해 줄 수도 있습니다. "이것을 한번 보아라. 여기에 커다란 하늘 오랑캐꽃이 있다. 오랑캐꽃의 신이다. 저 멀리 사방으로 모두 파란색이다. 이제 파란 오랑캐꽃 신의 한 조각을 잘라 냈다고 상상해 보아라. 그것이 바로 작은 오랑캐꽃이다. 이렇게 신은 세상의 대양인 듯 끝없이 넓고 크다. 너의 영혼은 그 대양 같은 신에게서 떨어져 나온 한 방울 물이다. 그런데 대양에서 덜어 낸 한 방울 물은 여전히 대양의 물이다. 그와 마찬가지로 너의 영혼은 위대한 신과 똑같단다. 단지 작은 방울일 뿐이지."

39.　　　제대로 된 그림을 발견하면, 그것을 아동기 전반에 걸쳐서 이용할 수 있습니다. 나중에 아이들이 학년이 올라가 성숙해졌을 때도 그 그림으로 항상 다시금 돌아갈 수 있습니다. 중점은 교사 스스로 이야기에 담긴 그림을 좋아하고 마음에 들어 해야 한다는 것입니다. 여러분이 예술가적 자질을 발휘해서 이런 종류의 이야기를 열두 가지 정도 만들어 내고 나면 도저히 주

체할 수 없는 상황이 빌생합니다. 어디를 가든, 어디에 있든 이야기가 떠오릅니다. 인간 영혼은 결코 고갈되지 않는 샘이며, 일단 뚜껑이 한 번 열리고 나면 끊임없이 솟아나도록 되어 있기 때문입니다.

40.   사람이 너무 안일하다 보니 자신 영혼 속에 들어앉아 있는 것을 꺼내 올리기 위한 첫 번째 시도를 할 마음이 전혀 없을 뿐입니다.

41.   이제 그림이 담긴 교육과 가르침의 다른 지류를 우리 영혼 앞에 사열해 보기로 합시다. 특히 저학년 아이는 영혼 속에서 분리된 채 작용하는 지성과 이성을 아직 양성해서는 안 됩니다. 여기서 중점은, 사고와 관계하는 모든 것은 형상성에 기대어, 그림같이 바라볼 수 있는 것에 기대어 가르쳐야 한다는 것입니다.

42.   8세경 아이는 사실 아직 미숙하다 해도 다음과 같은 방식의 연습을 할 수 있습니다. 예를 들어서 아이에게 이 모양을 보여 주십시오.(그림9에서 왼쪽 선과 오른쪽 선의 윗부분) 이제 어떤 식으로든 이 형태는 완성되지 않았고 무엇인가 빠졌다는 느낌이 생겨나게 애를 씁니다. 무엇인가 빠졌다는 느낌이 생기도록 하는 데에는 물론 아이의 개인적 성격을 고려해야 합니다. 예를 들어서 다음과 같이 말해야 할 수도 있습니다. "왼쪽 형태를

그림9

보자. 이 형태의 선은 아래까지 내려가는데, 오른쪽 형태의 선은 여기에서 멈추었다. 왼쪽은 선이 아래까지 내려가 있는데 오른쪽은 그렇지 않아서 별로 아름답게 보이지 않는다." 이런 식으로 아이에게 다음과 같은 느낌이 생겨나도록 해야 합니다. "아, 이 형태는 완성되지 않았으니 내가 보충해야겠다." 아이가 정말로 그렇게 느끼면서 형태를 완성하는 방향으로 조심스럽게 이끌어 갑니다. 아이 스스로 미완성된 형태에 필요한 부분을 그려 넣도록 할 수 있습니다. 아이들은 흑판에 하얀색으로 그릴 텐데, 저는 여기서 빨간색으로 그리겠습니다. 그러니까 아이가 보충해야 할 부분을 다른 색으로 보여 주는 것이지요.(그림9 오른쪽 아래) 물론 처음에는 아이들이 굉장히 서투르게 그립니다. 그래도 부족한

그림10

부분을 보충하면서 사고하는 관조와 관조하는 사고가 차츰차츰 발달됩니다. 사고가 완전히 그림 속에 머뭅니다.

43.　　일단 아이들 몇 명에게 이렇게 단순한 방식으로 형태를 보충하도록 가르쳤다면, 진도를 나가서 더 복잡한 모양도 다룰 수 있습니다. 아이들에게 이런 형태도 보여줄 수 있습니다.(그림10) 먼저 이 복잡한 모양은 완성되지 않았다는 느낌이 생기도록 합니다. 그 다음 형태에 모자란 부분을 보충해서 완성하도록 시킵니다. 이렇게 하면 아이 내면에 형태 감각이 생겨나고, 그 형태 감각을 통해서 균형과 조화를 느낄 수 있게 됩니다.

44.　　계속해서 다른 모양으로 이 주제를 다룰 수 있습니다. 예를 들어서 이 형태(그림11)의 내적인 법칙성에 대

네 번째 강의

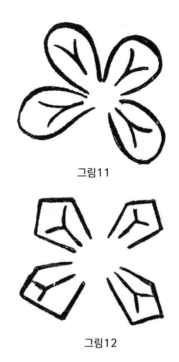

그림11

그림12

한 느낌을 아이에게 불러일으킬 수 있습니다. 저는 먼저 이 형태를 그려 주겠습니다. 이 형태에서 이 선들(바깥의 잎 모양)은 함께 중앙으로 모이고, 다른 선들(잎 모양의 안쪽에 양쪽으로 갈라지는 선들)은 바깥으로 퍼진다는 느낌이 아이한테 저절로 생깁니다. 이 형태를 통해 집중과 확산을 가르칠 수 있습니다.

45.　　　이제 더 나아가 다음 모양(그림12)을 그려 줍니다. 여기의 둥근 선(그림11)을 이 그림에서는 직선으로 그려서 각이 생기도록 합니다. 그 다음에 아이한테 각진 모양 안에 있는 선을 변형된 형태에 맞추어서 그리게 합니다. 이런 형태를 그리기란 8세 아이에게 그리 쉬운 일이 아닙니다. 그렇기 때문에 비록 앞 그림에서 보여 주기는 했어도 혼자서 이 형태를 완성시키고 나면, 8세 아이는 이루 말할 수 없이 커다란 기쁨을 만끽합니다. 이 형태(그림12)의 안은 앞의 형태(그림11)와 같은 성격이지만 각이 진 모양을 아이가 직접 그려 넣을 수 있도록 여러분이 좀 도와주어야 합니다.

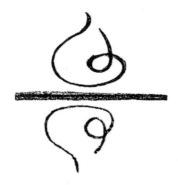

그림13

46.　　　이런 방식으로 아이는 진정한 형태 감각과 조화로운 균형 감각, 일치감一致感을 배우게 됩니다. 이런 형태를 다룬 다음에 거울에 비치는 대상물이 어떻게 보이는지에 대한 표상을 불러일으키는 형태로 넘어갑니다. 여기에 이 선(그림13 가운데 선 모양)은 수면이고, 이 수면 위에 어떤 대상물이 있다고 합시다. 이제 어떻게 이 대상물이 수면에 비치는지, 그 표상을 아이 내면에 불러일으킵니다. 이런 방식으로 세상 어디에나 존재하는 조화 속으로 차츰차츰 인도할 수 있습니다.

47.　　　그 다음에는 아이가 관조하는 형상적 사고를 하면서 자기 몸을 능숙하게 이용하는 연습으로 건너갑니다. 왼손으로 오른쪽 눈 가리키기! 오른손으로 왼쪽 눈 가리키기! 오른손을 등 뒤로 해서 왼쪽 어깨 잡기! 왼손으로 오른쪽 어깨 잡기! 오른손으로 왼쪽 귀 가리키기! 왼손으로 왼쪽 귀 가리키기! 오른손으로 오른발 엄지발가락 잡기! 이런 식으로 몸을 이용해서 갖가지 이상한 연습을 하게 합니다. 다른 예들도 많이 있습니다. 왼손 주변에 오른손을 빙빙 돌리면서 원 그리기! 양손으로 두 개의 원을 그리는데 안쪽이 서로 겹치도록 그리기! 양손으로 두 개의 원을 그리는데, 그리는 방향이 각기 반대가 되도록 하기! 이렇게 하면서 점점 더 속도를

냅니다. 오른손 장지 빨리 움직이기! 오른손 엄지 빨리 움직이기! 새끼 손가락 빨리 움직이기!

48.　　　이런 방식으로 몸을 이용해 온갖 연습을 하도록 시킵니다. 정신을 바짝 차려야 하는 이런 연습을 시키면 어떤 결과가 나옵니까? 8세 아이가 이런 연습을 많이 하면, 생각하기를 배웁니다. 더 정확히 표현하자면, 인생을 위해 생각하기를 배웁니다. 머리를 통해 직접적으로 생각하기를 배우면, 그것은 인생을 위한 생각은 되지 못합니다. 그렇게 하면 나중에 생각하기를 피곤해합니다. 그와는 달리 방금 말한 대로 정신을 바짝 차리고 몸을 이용해서 빠른 속도로 움직이는 놀이를 하면서 생각도 해야 한다면, 후일 인생을 위해 영리해집니다. 30대 중반에 보이는 인생 지혜와 7, 8세에 한 그런 연습 간의 연관성을 알아볼 수 있습니다. 이런 식으로 인생의 여러 주기는 서로 연결되어 있습니다.

49.　　　바로 이런 인간 인식을 바탕 삼아 아이들에게 가르쳐야 할 것을 준비해야 합니다.

50.　　　색채에 있어서 특정 조화 역시 이런 식으로 가르칠 수 있습니다. 제가 이제 아이와 함께 다음과 같은 연습을 한다고 상상해 보십시오. 이런 그림(그림14)을 그립니다. 이 빨간 면(그림14 중앙) 주변에 초록색을 칠해 조화

롭고 아름답게 보인다는 느낌이 생기도록 가르칩니다. 물론 색으로 그림을 그리면서 가르쳐야 합니다. 그래야 눈으로 볼 수 있으니까요. 이제 다음과 같이 분명히 해 줍니다. "내가 여기 이 색들을 한번 바꿔 보겠다. 자, 한번 보자. 내가 여기 한가운데에 초록색을 칠했어.(그림15) 너는 이 주변에 무슨 색을 칠하고 싶어?" 물론 아이는 빨간색을 칠할 것입니다. 이렇게 함으로써 차츰차츰 색채의 조화에 대한 감각을 얻게 됩니다. '이 그림(그림14)에서는 가운데에 빨간색을, 주변에 초록색을 칠했으니까, 여기에서는 빨간색이 초록색으로 바뀌었으니, 초록색은 빨간색으로 바꾸어야 해.' 이런 식으로 색채와 형태의 부합을 작용시키기, 이는 8세 연령대에 엄청난 의미가 있습니다.

그림14   그림15

51.   이렇게 내적으로 형상화해야 하는 수업과 더불

어 더 나아가기 위해 필요한 것, ─ 저는 그것을 부정적인 단어로 표현하는 수밖에 없습니다. ─ 그것은 바로 무無시간표입니다! 수업 시간표 없애기! 발도르프학교에는 이른바 주기 집중 수업이 있습니다. 하지만 수업 시간표는 없습니다. 한 가지 과목을 4주 내지 6주 동안 계속해서 다룹니다. 우리 학교에서는 아침 8시부터 9시까지 산수를 하고, 9시부터 10시까지는 읽기를 배우고, 10시부터 11시까지는 쓰기를 가르치는 식으로 하지 않습니다. 한 가지 과목을 주기 집중 수업으로 여러 주 동안 계속 다룹니다. 적어도 4주 동안 매일 아침마다 한 과목을 다룹니다. 아이들이 한 과목에서 그 나이에 해당하는 것을 충분히 배웠다면, 비로소 다른 과목으로 넘어갑니다. 아침 8시부터 9시까지는 산수를, 9시부터 10시까지는 읽기를 가르치는 식으로 시간마다 과목을 바꾸는 짓은 절대 하지 않습니다. 산수만 6주 동안 다룹니다. 그 다음 상황에 따라 다른 과목을 선택해서 다시 4주 내지 6주 동안 가르칩니다. 우리 학교에는 특정 개별 과목을 위한 수업 시간표가 있을 뿐입니다. 그에 대해서는 나중에 더 이야기하겠습니다. 주요 과목에 있어서는 엄격하게 주기 집중 수업을 도입했습니다. 우리는 주기 집중 수업 동안 한 가지에서 다른 것이 도출

네 번째 강의

되도록 하면서 유사한 주제만 다룹니다.

52.　　　아이가 한 시간 동안 영혼에 작용시켜야 했던 주제를 다음 시간에는 완전히 말소시켜야 한다면, 영혼 내면에 엄청난 혼란이 일어납니다. 주기 집중 수업을 함으로써 영혼의 혼란을 방지할 수 있습니다. 그런 영적인 혼란은 이른바 주기 집중 수업을 하지 않는 한 결코 피할 수 없는 문제입니다.

53.　　　한 과목을 여러 주 동안 다루지 않으면 아이들이 수업 내용을 모두 잊어버린다는 등, 주기 집중 수업에 대한 여러 가지 이의가 당연히 제기될 것입니다. 그런 문제는 산수 같은 개별 과목에만 해당하고, 중간중간에 가끔씩 그 과목을 반복하면 별 문제가 되지 않습니다. 대부분 다른 과목에서는 망각이 전혀 문제되지 않습니다. 적어도 특정 기간 동안 집중적으로 한 과목에 매달려서 얻는 것에 비해 망각은 사실 문제가 되지 않습니다. 주기 집중 수업으로 얻는 것이 엄청나기 때문입니다.

다섯 번째 강의

1924년 8월 16일

상상력을 이용한 숫자 개념 발달
리듬감 있게 숫자 세기
네 가지 셈법
수업에서의 유머
기하학 수업과 피타고라스의 정리

01.　　아이에게 어떤 것을 가르치려 한다면, 가르치려
는 주제의 실제적 본질에 관해 조금은 알고 있어야 합
니다. 수업과 교육에서 인생과 거리가 먼 것을 다루느
라 시간을 낭비하는 일이 없어야 하기 때문입니다. 인
생과 밀접한 주제는 누구나 이해할 수 있습니다. 정말
로 이해하는 것은 인생과 밀접할 수밖에 없다고 말할
수 있습니다. 추상성은 인생과 별 연관성이 없습니다.

02.　　그런데 오늘날 상황은 교육자가 특정 주제와 관
련해 처음부터 오로지 추상성만 지닙니다. 이는 특정
주제에 있어서 인생과 밀접한 관계에 있지 못하다는
의미입니다. 이 상황이 교육과 수업에 가장 큰 난관을
조성합니다. 다음과 같은 것을 한번 생각해 보십시오.
여러분이 언젠가 셈하는 방법을 배웠습니다. 이제 어
떻게 그 셈하는 방법을 배웠는지, 달리 말해 셈을 할
수 있기 위해 무엇을 어떻게 배웠는지 다시 한번 곰곰
이 생각해 보고 싶어합니다. 대부분 그런 조사의 실마
리는 어디선가 끊어지고 맙니다. 여러분이 셈하는 방

법을 배우기는 했지만 어떻게 배웠는지는 사실 제대로 알 수 없습니다.

03.　　아이에게 수의 개념과 산수를 어떻게 가르쳐야 하는지 온갖 종류의 이론이 교육학에서 개발되었고, 흔히 그렇듯이 사람들 역시 그런 이론을 기준으로 삼습니다. 그런 이론에 따라 피상적인 성공을 거둘 수 있습니다. 하지만 인생과는 거리가 먼 산수나 이론으로는 전체 인간에 절대 접근할 수 없습니다. 산수 수업을 하기 위해서 계산기 같은 것도 발명하는데, 그런 것은 현시대가 얼마나 추상성 속에서 살고 있는지 증명할 뿐입니다. 회사 사무실에서는 계산기를 마음대로 이용해도 됩니다. 그것은 우리의 문제가 아닙니다. 하지만 배타적으로 두뇌만 활동하게 만드는 계산기를 처음부터 학교 수업에서 이용하면, 인간 본질에 부합하는 방식으로는 숫자를 가르칠 수 없게 됩니다.

04.　　중점은 숫자를 실제로 인생에서 건져 내는 것입니다. 이때 교사가 알고 있어야 하는 가장 중요한 사항은, 아이들이 배우는 족족 모든 것을 이해해야 할 필요가 전혀 없다는 것입니다. 아이들은 물론 교사의 권위에 따라 많은 것을 받아들여야 합니다. 하지만 그렇게 받아들인 것을 완전히 이해하는 것은 주제에 맞추어

서 자연스러운 방식으로 이루어져야 합니다.

05.　　바로 이런 까닭에 여러분은, 이제 제가 설명할 산수 방법론이 아이들에게 더 어려울지 모른다고 생각할 수 있습니다. 그런데 그런 것은 문제가 되지 않습니다. 30~40년이 지난 후에 다음과 같이 말하는 순간이 인생에 생긴다는 것은 매우 의미심장합니다. "내가 여덟 살인지 아홉 살 적에, 혹은 그 이전에 선생님의 권위에 따라 받아들인 것을 이제서야 이해할 수 있다." 그런 순간은 인생에 활기를 줍니다. 그와 반대로 아이들에게 모든 것을 곧바로 이해시키기 위해서 오늘날 실물 수업이라는 명목 아래 교육으로 유입되는 모든 것을 고찰해 보면, 주제를 너무 진부하게 다루기 때문에 낙담 외에는 할 것이 없습니다.

06.　　다음과 같이 한번 상상해 보십시오. 아직 모든 것에 너무 서툰 어린아이가 있다고 합시다. 그 아이에게 다음과 같이 말합니다. "아이구 이런, 네가 벌써 와 있었구나. 한번 보자. 여기에 통나무가 있고, 칼도 있다. 이제 내가 이 칼로 통나무를 자를 거야. 우리 함께 자를까?" 아이가 아직 어리지만 칼로 통나무를 절단할 수 없다는 것쯤은 생각할 줄 압니다. 이제 아이에게 말합니다. "한번 생각해 봐. 내가 이 통나무를 자를 수 있

다년, 나무는 너와 같지 않다는 의미다. 너는 실제로 나무와 다르다. 왜냐하면 나는 너를 자를 수 없으니까 말이다. 그러니까 너와 이 통나무 사이에는 확실히 차이가 있다. 그 차이는, 너는 단일체고 나무는 단일체가 아니라는 거야. 너는 단일체다. 나는 너를 자를 수 없지 않니? 나는 너를 단일체라 부른다. 왜냐하면 나는 너를 자를 수 없기 때문이지."

07.   이제 아이에게 그 단일체의 상징을 가르치는 방향으로 차츰차츰 건너갑니다. 선 하나를 긋습니다. I 이 선을 단일체라고 아이에게 가르칩니다. 그렇게 하기 위해서 이 선을 그었습니다.

08.   아이와 통나무의 비교에서 출발하면서 이제 다음과 같이 말합니다. "어디 보자, 여기에 너의 오른손이 있구나. 아, 여기에 왼손도 있다." 그리고 계속해서 다음과 같이 가르칠 수 있습니다. "네가 이제 이 손 하나가 되었다고 상상해 봐라. 이 손은 너처럼 사방으로 움직일 수 있을 게다. 그런데 너는 아무리 멀리 가도 너를 만날 수도, 너를 잡을 수도 없단다. 왼손과 오른손을 함께 움직이면, 서로 만나서 잡을 수 있단다. 네가 혼자서 어디론가 가는 것과는 조금 다르지. 너 혼자 가기 때문에 너는 하나의 단일체. 하지만 왼손은 오른손을 만

날 수 있단다. 그래서 양손은 더 이상 하나의 단일체가 아니고 이원성이라고 한다. 너는 하나지. 그런데 손은 두 개다. 이원성은 이렇게 표시한단다. Ⅰ Ⅰ"

09.　　　　이런 방식으로 여러분은 아이 자체에서 단일체와 이원성에 대한 개념을 도출합니다.

10.　　　　그 다음에는 학급에서 두 명의 아이를 앞으로 불러내서 다음과 같이 말합니다. "너희가 이리저리 걷는 동안 서로 만나기도 하고 건드리기도 한다. 너희 둘은 이원성이다. 다른 친구 한 명이 더 올 수 있다. 손은 그럴 수 없다." 이렇게 세 번째 아이가 더해지면서 삼원성으로 넘어갈 수 있습니다. Ⅰ Ⅰ Ⅰ.

11.　　　　이런 방식으로 인간 자체에서 숫자를 도출할 수 있습니다. 달리 말해 인간을 출발점으로 삼아 숫자로 가는 것이지요. 인간은 추상적인 어떤 것이 아니라 살아 있는 존재입니다.

12.　　　　이제 더 나아가 다음과 같이 말합니다. "너한테 이원성이 또 있는지 한번 살펴보자." 아이가 손과 발을 떠올릴 때까지 여러모로 도와줍니다. 이제 이렇게 말합니다. "그런데 말이다, 너희 옆집에 사는 개를 본 적이 있니? 그 개도 두 발로 걸어 다닐까?" 그러면 아이가 옆집 개는 네 개의 선으로 Ⅰ Ⅰ Ⅰ Ⅰ, 네 개의 다리로

걸어 다닌다는 것을 배웁니다. 이렇게 삶을 근거로 해서 차츰차츰 숫자를 가르칩니다.

13.   교사가 이해심을 가지고 모든 것을 두루 살펴보는 능력이 있다면 더할 나위 없이 좋겠지요. 아주 자연스러운 일인데, 이렇게 로마 숫자로 쓰기를 가르쳐야 합니다. 물론 아이들은 즉시 그렇게 하려고 합니다. 그런데 쓰기 전에 먼저 손을 이용해서 4에서 5로 넘어가는 과정을 발견하면 굉장히 유익합니다. 아이에게 다음과 같이 말합니다. "엄지 손가락을 접고 있으면 나머지 네 손가락은 개의 네 다리와 같다. I I I I. 그런데 이제 엄지를 한번 펴봐라, 그러면 이제 5가 된다. V"

14.   언젠가 만난 한 교사가 왜 로마인들은 5를 위해 다섯 개의 선을 나란히 긋지 않았는지 모르겠다고 했습니다. 아이들한테 I I I I 까지는 아무 문제없이 설명할 수 있지만, 왜 5를 V 라 표기해야 하는지는 설명할 수 없었던 것입니다. 그래서 제가 말했습니다. "이렇게 한번 해 보세요. 손을 펴는데 엄지 손가락과 나머지 네 손가락을 두 편으로 나누어 보세요. 그러면 로마 숫자 5가 나옵니다." 로마 숫자 5가 우리 손에 들어 있습니다. 로마 숫자 5는 실제로 그렇게 생겨났습니다. 우리 손에 들어 있습니다.

다섯 번째 강의

15.　　　이번 강의에서는 시간상 문제로 원리만 다루는 수밖에 없습니다. 그래도 근본적으로 이런 방식으로 숫자 자체를 실생활에서 직접 읽어 낼 가능성을 얻습니다. 이렇게 실생활에서 숫자를 뽑아낸 다음에 차례대로 보여 주면서 셈하는 방법을 가르쳐야 합니다. 단, 아이들이 산수를 재미없다고 느끼지 않게 해야 합니다. "이제 내가 너희들한테 숫자를 모두 읽어 주겠다. 1, 2, 3, 4, 5, 6, 7, 8, 9…" 이렇게 지루하게 수업을 해서는 안 됩니다. 먼저 리듬에서 출발합니다. "자, 이제 우리가 1에서 2로 걸어가 보자. 1 2, 1 2, 1 2…" 아이들이 2를 말하면서 발을 세게 내딛도록 합니다. 그 다음에 리듬감을 가지고 3으로 갑니다. 1 2 3, 1 2 3, 1 2 3… 이렇게 하면 숫자에는 리듬이, 아이에게는 주제를 포괄하는 능력이 생깁니다. 그리고 수의 본질을 근거로 해서 아주 자연스럽게 숫자를 가르치는 것이 가능해집니다.

16.　　　사람들은 하나에 다른 수가 계속 이어져서 숫자가 생겨났다고 믿습니다. 그것은 절대 진실이 아닙니다. 머리는 절대로 수를 세지 않습니다. 인간의 머리가 지상의 인생을 위해 얼마나 이상하고 쓸데없는 기관인지를 평범한 인생을 살아가는 사람들은 결코 믿으려 하지 않습니다. 인간의 머리는 아름다움을 위해 존재합

니다. 다른 사람들이 그 모양새를 마음에 들어 하기 때문이지요. 머리에는 물론 다른 미덕이 몇 가지 더 있기는 합니다. 하지만 정신적인 활동을 위해서는 사실 그리 심도 있게 존재하지 않습니다. 왜냐하면 머리가 정신적인 것으로서 지니고 있는 것은 언제나 지상에서 전생으로 회귀하도록 만들기 때문입니다. 머리는 변형된 전생입니다. 머리의 존재는, 인간이 자신의 전생에 관한 것을 알고 있을 때만 올바른 의미가 있습니다. 그외에는 머리에서 나오는 것이 없습니다. 실제로 우리는 잠재 의식 속에서 손가락으로 숫자를 셉니다. 손가락으로 1부터 10까지 셉니다. 11, 12, 13, 14 등은 발가락으로 셉니다. 눈으로 보지 않는다 해도, 우리는 20까지 손과 발로 셉니다. 이렇게 몸으로 하는 것이 머리 속에 반사될 뿐입니다. 머리는 그 모든 것을 그저 바라보기만 합니다. 인간의 머리는 몸이 하는 것을 반사하는 거울일 뿐입니다. 몸이 생각하고 숫자를 셉니다. 머리는 그것을 바라보는 관중입니다.

17.   인간의 머리는 다른 어떤 것과 기이한 유사성을 띠고 있습니다. 여기에 자동차 한 대가 있다고 합시다. 여러분은 그 안에서 아무것도 하지 않고 편안하게 앉아 있습니다. 운전사만 수고를 합니다. 그렇게 가만히

앉아서 세상을 돌아다닙니다. 머리가 바로 그런 형상입니다. 여러분의 몸 위에 앉아서 아무 수고도 하지 않고 세상을 돌아다니면서 구경합니다. 정신생활에서 해야 하는 모든 활동은 육체를 통해 이루어집니다. 수학은 육체를 근거로 이루어집니다. 사고는 육체를 근거로 이루어집니다. 역시 육체를 통해 느낍니다. 계산기는 사람이 머리로 계산한다는 오류에서 생겨난 물건입니다. 계산기로 산수를 가르치는 것은 아이가 머리로 애를 쓰게 만든다는 것을 의미합니다. 그렇게 머리가 애를 쓰면서 몸을 괴롭힙니다. 왜냐하면 결국에는 몸이 계산을 해야 하기 때문입니다. 이는 중요한 문제입니다. 그래서 아이에게 손가락과 발가락으로 계산을 하도록 가르쳐야 옳습니다. 어쨌든 아이가 자신의 사지를 능숙하게 이용할 수 있도록 최대한 장려한다면 굉장히 유익하지 않겠습니까? 인간 전체를 능숙하게 만드는 것보다 인생에서 더 나은 일은 절대 없습니다! 그런데 운동을 시킨다고 해서 그렇게 되지는 않습니다. 운동은 사실 사람을 능숙하게 만들지 않습니다! 엄지 발가락과 두 번째 발가락 사이에 연필을 끼우고 발로 글씨나 숫자를 쓰도록 시키면, 정말로 몸이 능숙하게 됩니다. 인간은 몸 전체에 영혼과 정신이 스며들어 있는 존재이기 때문에 발가락으로 숫자를 쓴다는 것은 전적으로 의미 있는 행위입니다. 인간의 머리는 차 안에 편안히 앉아서 아무것도 하지 않으면서 그저 함께 달리는 승객에 해당합니다. 그에 반해 몸은 어디에서나 운전을 해야 하고, 무슨 일이든 다 처리해야 합니다.

18.   그러므로 우리는 아이가 숫자 세기로 배워야 할 것을 매우 다양한 형식으로 구성하도록 노력해야 합니다. 이제 명심해야 할 중요한 사항이 한 가지 있습니다. 이미 설명한 대로 일정 기간 수업을 한 다음에 하나의 수에 다른 수를 계속해서 병렬하는 식으로 숫자 세기를 가르쳐서는 안 됩니다. 그런 것은 숫자 세기에서 가장 덜 중요하다고 말할 수 있습니다. 그 대신 다음과 같이 가르칩니다. 여기에 하나의 단일체가 있습니다.(그림16) 이제 이것을 나눕니다. 이원성입니다. 이는 하나의 단일체 옆에 다른 단일체 하나를 나란히 두어서 나온 이원성이 아닙니다. 이 이원성은 하나의 단일체를 나눔으로써 생겼습니다. 이것은(그림16 윗부분) 단일체입니다. 그 아래에 이원성, 삼원성, 사원성이 있습니다. 이렇게 하면, 단일체는 이원성, 삼원성, 사원성 등 모든 것을 함께 묶는 것, 모든 것을 포괄하는 것이라는 표상을 아이 내면에 불러일으킬 수 있습니다. 이런 식으로(그림16

을 가리키면서) 수와 숫자 세기를 가르치면 아이의 개념이 생기를 띠게 됩니다. 이렇게 함으로써 숫자와 관계하는 것을 내적으로 완전히 이해하게 됩니다.

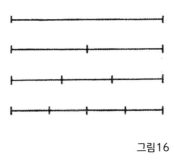

그림16

19.　　우리는 언제나 콩알 하나에 다른 콩알 하나를 더하거나 주판알 하나에 다른 주판알 하나를 더하는 식으로 수를 셉니다. 그런데 고대의 특정 시대에는 그런 식으로 수를 센다는 개념이 전혀 없었습니다. 고대 사람들은 다음과 같이 말했습니다. "가장 큰 것은 단일체다. 모든 두 개는 단일체의 절반이다." 이런 식으로 여러분은 외부 대상물을 이용해 일목요연하게 숫자 세기의 본질로 들어섭니다. 아이의 사고를 언제나 외부 대상물에서, 바라보고 조망할 수 있는 것에서 발

달시켜야 합니다. 추상적인 것은 가능한 한 멀리해야
합니다.

20.　　　그러면 아이가 특정 정도까지의 수를 차츰차츰
배워갑니다. 저는 20이나 100, 혹은 그 이상도 괜찮다
고 생각합니다. 이런 방식으로 숫자 세기를 생동감 있
게 가르칠 수 있습니다. 아이들은 숫자를 셀 수 있어야
하고, 숫자 세기를 배워야 합니다. ─제가 강조합니다.─
계산하기가 아니라 숫자 세기를 먼저 배워야 합니다.
계산하기를 가르치기 전에 먼저 숫자 세기부터 가르쳐
야 한다는 말이지요.

21.　　　반 아이들에게 일단 숫자 세기를 가르친 다음
에 계산하기를 가르칩니다. 계산 역시 살아 있는 것에
서 건져 내야 합니다. 살아 있는 것은 언제나 하나의 전
체이며, 일단 전체로서 주어집니다. 언제나 부분들을
모아서 하나의 전체를 만들게 하면, 먼저 하나의 전체
를 주시하고 그 전체를 부분으로 나누는 식으로 가르
치지 않으면, 우리는 인간에게 몹쓸 짓을 하는 것입니
다. 먼저 하나의 전체를 주시한 다음에 그 전체를 부분
으로 나누도록 하면, 아이가 살아 있는 것에 다가설 수
있습니다.

22.　　　사람들은 물질주의 시대가 실제로 인류 문화에

저지른 많은 것을 알아보지 못합니다. 아이에게 네모난 나무조각을 장난감으로 주고 집을 지으면서 놀게 합니다. 오늘날 사람들은 그런 장난감에 반감을 느끼기보다는 오히려 자연스럽게 여깁니다. 그런 장난감은 처음부터 살아 있는 것에서 떼어 낸 것입니다. 자그마한 조각들을 모아서 전체를 만들려는 욕구가 아이에게는 전혀 없습니다. 수많은 다른 욕구가 있습니다. 그런데 아이의 욕구는 성인을 별로 편하게 두지 않습니다. 아이에게 시계 하나를 주어 보십시오. 사정만 되면 그 시계를 즉시 분해하고 말 것입니다. 전체를 부분으로 분해하기, 하나의 전체가 어떻게 부분으로 분해되는지 검사하기, 이것이 인간 본질에 훨씬 더 부합합니다.

23.　　이 사항은 계산하기를 가르칠 때도 명심해야 합니다. 여러분은 이 사항이 문화 전반에 영향을 미친다는 것을 다음 사례에서 주시하기 바랍니다.

24.　　13, 14세기 때만 해도 사람들은 생각으로 부분을 함께 결합시켜 하나의 전체를 만든다는 것에 별 가치를 두지 않았습니다. 그런 생각은 후에야 생겨났습니다. 건축 장인 역시 부분으로 건물을 짓지 않았습니다. 먼저 건물 전체를 생각하고 그것을 근거로 부분을 나누는 식으로 지었습니다. 부분을 결합시켜서 하나의

전체를 만들어 낸다는 생각은 나중에 인류 문명에 들어섰습니다. 그리고 얼마 지나지 않아 모든 것은 아주 미세한 부분이 결합된 것이라는 생각을 당연시하게 되었습니다. 거기에서 물리학의 원자론이 나왔습니다. 물리학은 교육에서 생겨난 산물입니다. 모든 것은 부분들이 결합되어 이루어졌다고 가르치는 교육에 익숙해져 있지 않다면, 우리 시대의 유식한 학자들은 마귀를 풍자한 그 자그마한 희화(戱畵)에 관해, ─원자라는 것은 마귀를 희화화한 것이기 때문입니다.─ 원자에 관해 오늘날처럼 말하지 않을 것입니다. 그렇게 원자론이 생겨났습니다. 오늘날 우리는 원자론을 비판합니다. 하지만 비판은 아무짝에도 쓸모 없습니다. 왜냐하면 사람들은 지난 400~500년 동안 습관이 된, 물구나무선 생각을 벗어나지 못하기 때문입니다. 그러니까 오늘날 사람들은 부분에서 출발해서 전체로 가는 식으로만 생각할 줄 알지 전체에서 출발해서 부분으로 가는 생각은 할 줄 모릅니다.

25.   이는 특히 산수 수업을 할 때 명심해야 할 사항입니다. 여러분이 멀리서 숲을 향해 가는 경우 처음에는 숲을 보지 않습니까? 숲에 가까워지면 그제야 비로소 각기 나무로 나누어진 상태의 숲을 보게 됩니다. 산

수도 역시 이와 같은 방식으로 가르쳐야 합니다. 여러분의 지갑 속에는 1원, 2원, 3원, 4원, 5원… 이런 식으로 돈이 들어 있지 않습니다. 일정 금액의 돈이 지갑 속에 있습니다. 총 오만 원이 지갑 속에 있다고 합시다. 그것은 하나의 전체입니다. 그렇게 하나의 전체를 여러분이 지니고 있습니다. 여러분이 완두콩 수프를 끓인다고 합시다. 그러면 완두콩이 한 개, 두 개, 세 개로 시작해서 삼사십 개까지 차례대로 들어 있지 않습니다. 한줌의 완두콩이 들어 있습니다. 바구니에 사과가 들어 있다면 역시 한 개, 두 개, 세 개, 네 개 이런 식으로 들어 있지 않습니다. 사과 한 무더기가 바구니에 들어 있습니다. 하나의 전체로 들어 있습니다. 바구니에서 일단 가장 중요한 것은 무엇입니까? 한 무더기 사과가 있다는 것입니다.(그림17을 그린다) 우리가 한 무더기 사과를 집에 가져옵니다. 아이 셋이 집에 있습니다. 아이들에게 사과를 나누어 주는데, 저는 절대로 모두에게 똑같은 수로 나눠 주지 않을 것입니다. 아이 셋 중에 한 명은 아직 어리고, 한 명은 좀 나이가 들어서 덩치도 크지 않습니까? 큰 아이에게는 좀 많이 주고, 막내는 조금만 줍니다. 그런 식으로 사과를 세 부분으로 나눕니다.

26.　　　나눈다는 것은 어쨌든 굉장히 이상한 짓입니다!

엄마가 커다란 빵을 사오셨습니다. 그리고 아들 하인리히한테 말했습니다. "이 빵을 나누어라. 그런데 기독교적으로 나누어야 한다." 하인리히는 엄마한테 물었습니다. "기독교적으로 나누라니, 그게 무슨 말이에요?" 엄마가 대답했습니다. "빵을 한 쪽은 작게, 다른 한 쪽은 크게 썰어라. 그리고 큰 것은 안나한테 주고, 작은 것은 네가 먹어라." 그러자 하인리히가 말했습니다. "싫어요. 그렇다면 안나한테 기독교적으로 나누라고 하세요!"

27.   나누기 위해서는 역시 다른 개념을 이용해야 합니다. 우리는 이렇게 합시다. 첫째에게 이 부분을 줍니다.(그림17에서 1) 둘째에게는 이 부분(2)을 줍니다. 그리고 셋째는 나머지를 받습니다. 제대로 조망하기 위해서 먼저 무더기 전체를 세도록 시킵니다. 아이들이 숫자 세기를 이미 배웠다는 전제 아래 그렇게 합니다. 모두 18개의 사과가 있습니다. 이제 제가 세어야 합니다. 첫째에게 몇 개의 사과가 돌아갔는지? 9개. 둘째는 몇 개의 사과를 갖고 있는지? 5개. 셋째는? 4개.

28.   이런 식으로 저는 하나의 전체에서, 그러니까 한 무더기 사과에서 출발해서 세 부분으로 나누었습니다.

29.   일반 학교 수업에서는 보통 어떤 식으로 합니까?

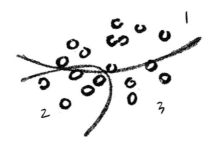

그림17

교사가 말합니다. "여기에 4가 있다. 또 여기에 5와 9가 있다. 모두 더해 봐라. 그럼 18이 나온다." 이렇게 개체에서 출발해서 전체에 이릅니다. 그렇게 하면 죽은 개념을 주지 살아 있는 개념은 줄 수 없습니다. 언제나 전체에서 출발하십시오. 18에서 출발합니다. 그것을 가수加數로, 그러니까 합해야 할 수로 나눕니다. 이런 식으로 더하기를 합니다.

30.　　그러니까 개별적인 가수에서 출발하는 산수 수업을 해서는 안 됩니다. 언제나 합계에서 출발해서, ― 이것이 전체입니다.― 그 합계를 각기 가수로 나눕니다. 그러면 아이들에게 다음과 같이 말할 수 있습니

다. "이제 이 합계를 다른 방식으로도 나눌 수 있다. 이 렇게도 나눌 수 있지… 전체는 언제나 그대로 머무는 반면에 가수는 여러 가지로 바뀔 수 있다." 보통은 가 수 여러 개를 먼저 내 주고, 그것들을 더해서 합계를 내도록 합니다. 우리는 그렇게 하지 않습니다. 먼저 합 계를 제시하고, 그것을 가수로 나누도록 합니다. 그렇 게 하면 완전히 살아 있는, 생동적인 개념에 이릅니다. 이런 식으로 숫자와 관계하다 보면 전체는 언제나 그 대로 머무는 반면에 합해야 할 수, 즉 가수는 변화될 수 있다는 생각을 할 수 있게 됩니다. 가수를 여러 가지 로 바꿀 수 있다는 수의 특성이 무리 없이 나옵니다.

31.　　　이제 다음과 같이 말하면서 다른 주제로 넘어갑 니다. "단순한 수가 아니라, 인간처럼 내면에 수를 지니 는 것이라면, 마음대로 나눌 수 없단다." 예를 들어 사 람 몸이 있다고 합시다. 몸에는 머리와 팔다리, 손발이 달려 있습니다. 여러분은 몸이라는 전체를 마음대로 나눌 수 없습니다. 아이에게 이렇게 말할 수는 없는 노 릇 아닙니까? "어디 보자, 한쪽 발은 이렇게 나누고, 이 손은 여기를 잘라 보자." 인간의 몸은 자연에 의해 이 미 특정 방식으로 나뉘어 있습니다.

32.　　　단순히 수로 셀 수 있는 것은 자연에 의해 분류

되지 않은 것입니다. 그런 경우에는 사람이 다양한 방식으로 나눌 수 있습니다.

33.　　이렇게 하면 여러분은 생생한 삶을, 생생한 흐름을 수업에 끌어들일 가능성을 얻습니다. 식상하고 진부한 요소는 전부 수업에서 떨어져 나갑니다. 뿐만 아니라 아이를 위해 매우 유익하고 필수적인 것이 수업에 흘러드는 것을 보게 됩니다. 바로 유머입니다. 유치하지 않고 건강한 의미의 유머가 수업에 흘러듭니다. 수업에는 반드시 유머가 있어야 합니다.

34.　　'유머', 이 단어를 제대로 통역해 주시기 바랍니다. 이 단어는 수업에서 언제나 오인됩니다!

35.　　언제 어디서든, 어떤 주제든 전체에서 출발하기, 여러분은 항상 그렇게 수업을 해야 합니다. 전적으로 삶을 근거로 다음과 같이 한다고 상상해 보십시오. 엄마가 마리한테 사과를 사 오라고 시켰습니다. 마리는 가게에서 사과 25개를 샀습니다. 사과 장수 아주머니가 종이에 그 숫자를 적어 주었습니다. 그런데 마리는 겨우 10개만 가지고 집에 왔습니다. 실생활에서 이런 일이 일어날 수 있습니다. 마리는 25개의 사과를 샀는데 집에는 겨우 10개만 가지고 왔습니다. 마리는 정말로 솔직한 아이라 도중에 사과를 단 하나도 먹지 않

았습니나. 그런데도 겨우 10개만 집에 가지고 왔습니다. 이제 어떤 사람이 마리 뒤를 따라온다고 합시다. 그 사람도 솔직한 사람이고 마리가 길에서 잃어버린 사과를 모두 가지고 옵니다. 이제 질문이 생깁니다. 그 사람이 몇 개의 사과를 가지고 올까? 그 사람이 저기 멀리서 오는 것이 보입니다. 그 사람이 도착하기 전에 미리 알고 싶습니다. 그 사람이 사과를 몇 개 가지고 올지. 마리는 시장에서 사과 25개를 받았지만 집에는 10개만 가지고 왔습니다. 사과 장수 아주머니가 쪽지에 25개라고 썼습니다. 그러니까 마리는 사과 15개를 도중에 잃어버린 것이지요.

36.   여러분은 그렇게 계산을 해야 합니다. 그런데 보통은 어떻게 계산을 합니까? 우선 어떤 것이 있습니다. 거기에서 얼마를 빼야 합니다. 그러면 나머지가 답으로 나옵니다. 인생에서 실제로 훨씬 더 자주 일어나는 것은 ─ 여러분도 그렇게 확신하게 될 것입니다. ─ 처음에 받은 것과 마지막에 남은 것을 알고 있고, 잃어버린 것을 알아내야 하는 식입니다. 그러니까 뺄셈을 가르칠 때는 피감수와 나머지에서 출발해서 감수를 찾는 방식으로 해야 합니다. 그렇게 함으로써 주제를 활기 있게 유지할 수 있습니다. 달리 말해 피감수와 감수를 제

시하고 나머지를 찾는 식으로 해서는 안 됩니다. 그런 방식은 죽은 것입니다. 뺄셈은 피감수와 나머지를 주고 감수를 찾도록 해야 생생해집니다. 그러면 수업이 활기를 띱니다.

37.   마리와 엄마, 그리고 잃어버린 사과를 가져오는 사람, 그러니까 감수를 가지고 오는 사람을 주시해 보면 여러분도 이 점을 이해할 것입니다. 마리는 피감수에서 감수를 잃어버렸습니다. 이런 경우에 보통은 마리가 사과를 몇 개나 잃어버렸는지, 달리 말해 지금 막 오고 있는 사람이 사과를 몇 개 가지고 오는지 궁금하기 마련입니다. 바로 이 사실에서 제가 말하는 뺄셈 방식이 정당화됩니다. 이런 방식으로 뺄셈을 하면 수업에 생기가, 진정한 인생이 들어섭니다. "그래, 나머지가 얼마지?"라고 묻기만 한다면, 아이 영혼에 그저 죽은 것만 주입시키는 격입니다. 교사는 어떤 과목이든, 어디서든 아이 영혼에 죽은 것이 아니라 생생하게 살아 있는 것을 들여가야 합니다.

38.   이제 진도를 더 나갑니다. 다음과 같이 말하면서 곱하기를 가르칠 수 있습니다. "생산물 전체가 여기에 있다. 이 생산물은 이것의 몇 배가 되겠니?" 이런 질문으로 여러분은 생동적인 것에 다가섭니다. 여러분이

다음과 같이 말한다면 얼마나 지루하고 식상한 느낌이 들지 한번 생각해 보십시오. "여기 사람들 한 무리가 있다. 이 사람들을 나누어 보겠다. 여기에 세 명, 또 세 명, 또 세 명… 이제 내가 질문을 하나 하겠다. 3의 몇 배가 여기에 있지?" 이런 것은 완전히 죽어 있습니다. 활기나 생동감이 하나도 없습니다.

39.　　반대 방식으로 곱하기를 가르치면, 그러니까 먼저 전체를 예로 들고 그 안에 특정 수의 무리가 얼마나 들어 있는지 물어보면, 수업에 삶을 들여갈 수 있어서 활기차게 됩니다. 예를 들어 다음과 같이 말합니다. "어디 보자, 우리 반 친구들은 모두 몇 명이지? 한번 세어 보자. 모두 45명이로구나. 이제 5명만 앞으로 나와라. 하나, 둘, 셋, 넷, 다섯. 자, 너희 5명은 저쪽에 가서 서라. … 이제 45명으로 5명이 든 무리를 몇 개나 만들어 낼 수 있는지 한번 계산해 보자." 여러분도 보다시피 저는 부분이 아니라 전체에서 출발했습니다. "5명 무리를 얼마나 더 만들 수 있을까?" 여덟 번 더 만들 수 있다는 것을 알아냅니다. 저는 흔히 하는 방식과는 반대로 곱셈을 했습니다. 주어진 대상물 전체에서 출발해서, 그 안에 특정 숫자가 몇 번 들어 있는지를 찾았습니다. 그렇게 함으로써 계산 방식에 활기를 불어넣었습

니다. 다른 무엇보다도 중요한 점은 보기 좋게 조망할 수 있는 것에서 출발했다는 것입니다. 조망할 수 있는 대상물에서 사고를 절대로, 절대로, 절대로 분리하지 않는다! 이것이 중점입니다. 그렇지 않으면 아이가 너무 일찍 지성주의와 추상성에 물듭니다. 우리가 아이를 완전히 망가뜨리고 맙니다. 아이를 메마르게 만듭니다. 뿐만 아니라 육체도 메마르게 만들어 ─ 정신적, 영적, 육체적 교육에 관해 더 논의할 예정입니다.─ 경화증을 배양합니다.

40.   사람이 나이가 들어서도 육체적으로 유연하고 솜씨 있는 상태에 머물도록 하려면, 방금 고찰한 방식으로 산수를 가르치는 데에 아주 많은 것이 달려 있습니다. 제가 이야기한 대로 사람 몸에서 1, 2, 3, 4, 5, 6, 7, 8, 9, 10까지, 그 이상으로 숫자 세기를 가르친다면, ─ 네, 주판 같은 것을 사용하지 않고 정말로 손가락과 발가락으로 20까지 세도록 가르친다면 굉장히 유익합니다.─ 그러면 그 아이다운 명상을 통해서, ─ 손가락과 발가락으로 숫자를 세면 결국 손가락과 발가락에 대해 생각해야 하고, 그것은 자기 몸에 대한 명상이 됩니다. 더 정확히 말해서 건강한 명상이 됩니다.─ 신체에 삶을 들여간다는 것을 여러분은 보게 될 것입니다. 그런 식으

로 숫자 세기를 배운 사람의 사지는 나중에 나이가 들어서도 유연하고 요령 있게 머뭅니다. 유기체 전체로 숫자 세기를 배웠기 때문에 사지가 자기 몫을 당당히 해내는 것이지요. 어린 시절에 그저 머리로만 생각하도록 배우면, 나중의 인생에서 사지와 유기체의 다른 부분은 그 자체적인 몫을 제대로 해내지 못하게 되어서 예를 들어 관절염 같은 것에 걸립니다.

41.　　　교육과 수업의 모든 것은 오늘날 흔히 하는 '실물 수업'을 통해서가 아니라 그림처럼 관조할 수 있는 것을 근거로 마련해야 합니다. 어떻게 그렇게 하는지 특정한 예를 보여 주겠습니다. 이 예는 실제로 수업에서 아주 특별한 역할을 할 수 있습니다. 그것은 다름 아니라 여러분도 잘 알고 있는 피타고라스의 정리입니다. 수업을 해본 사람이라면 필시 제가 말하는 바와 비슷한 방식으로 이미 알고 있을 것입니다. 그래도 오늘 여기에서 다시 한번 논의하기로 합시다. 여러분도 알다시피 피타고라스의 정리는 실제로 기하학 수업을 위한 하나의 목표가 될 수 있는 것을 의미합니다. 기하학을 다음과 같이 구축할 수 있습니다. "내가 기하학 수업을 구성할 때 수업 전체가 직각삼각형의 빗변에 면하는 정사각형의 면적은 직각삼각형의 직각에 면하는 정사각

형 두 개의 면적의 합이라고 하는 피타고라스의 정리에서 절정을 이루게끔 해 보겠다." 이런 식으로 기하학 수업을 주시해 보는 것은 굉장히 멋진 일입니다.

42.　　　제 지인 중에 기하학을 아주 좋아하는 부인이 한 분 있었습니다. 당시 연세가 많았는데도 기하학을 꼭 배우고 싶어했습니다. 학교에서 배운 것을 모두 잊었는지, ─옛 시절에 여학교를 다녔을 것이고, 필시 배운 내용이 충실하지 못했으리라 저는 생각합니다.─ 기하학에 대해 아는 바가 없었습니다. 저는 그 부인한테 기하학을 가르치면서 수업 전체가 피타고라스의 정리에서 절정을 이루도록 했습니다. 그 부인은 피타고라스의 정리에 믿을 수 없이 경이로운 무엇인가가 실제로 들어 있다는 것을 느낌으로 알았습니다. 사람들은 그 경이로운 것에 길들어 있어서 느끼지 못할 뿐입니다. 여기에 직각삼각형이 있습니다.(그림18을 그린다) 빗변에 면한 정사각형의 면적은 직각을 끼고 있는 변에 면한 정사각형 두 개의 면적을 합한 것과 같습니다. 이 정사각형 면들을 밭이라고 가정해 봅시다. 이 밭에 일정한 간격으로 감자를 심는다고 합시다. 그러면 직각을 끼고 있는 변에 면한 두 개의 밭에 심은 감자의 양은 빗변에 면한 밭에 심은 감자와 같은 양이 됩니다. 정말로

신기하고 경이로운 것입니다. 이는 그저 보기만 해서는 간파할 수 없습니다.

43.　　눈으로 보기만 해서는 간파할 수 없는, 실로 경이로운 그 무엇이 있습니다. 바로 이 사실을 수업에서 내적으로 영혼을 활성화하는 데에 이용해야 합니다. 쉽게 알아볼 수 없기 때문에 언제나 놀랍다고 느낄 수밖에 없는 것이 있다는 사실을 수업 구성의 바탕으로 삼습니다. 피타고라스의 정리는 그런 종류 중에 하나라고 말할 수 있습니다. 사람이 피타고라스의 정리를 일단 믿을 수 있습니다. 그런데 다음에는 언제나 그 믿음을 곧바로 잊어버려야 합니다. 빗변에 면한 정사각형은 직각을 끼고 있는 변에 면한 정사각형 두 개의 합이라는 사실을 언제나 처음 이해한다는 듯이 항상 다시금 새롭게 믿어야 합니다.

44.　　피타고라스의 정리에 대한 갖가지 증명을 발견할 수 있습니다. 그 증명을 완전히 일목요연하게 전달해야 합니다. 그 증명은 이등변삼각형을 이용하면 별 어려움 없이 전달할 수 있습니다. 여기에 이등변 직각삼각형이 있다고 합시다.(그림19를 그린다) 그러면 직각을 낀 변은 여기와 여기입니다. 빗변은 바깥쪽에 있습니다. 제가 지금 주황색으로 칠하는 부분(1, 2, 3, 4)은 하나

의 빗변에 면한 정사각형입니다. 여기에 파란색으로 칠하는 부분(2와 5, 4와 6)은 각기 직각을 낀 변에 면한 정사각형입니다.

45.   이 경우에도 마찬가지입니다. 파란색으로 칠한 면적의 밭(2와 5, 4와 6)에 일정 간격으로 감자를 심으면, 결국 주황색으로 칠한 면적의 밭(1, 2, 3, 4)에 심은 감자와 동일한 양이 나옵니다. 주황색 밭은 빗변에 면한 정사각형입니다. 파란색 밭(2와 5, 4와 6)은 직각을 끼고 있는 변에 면한 두 개의 정사각형입니다.

46.   그런데 다음과 같이 말하면서 증명을 단순화할 수 있습니다. "두 개의 파란색 정사각형에서 이 두 개의 삼각형(2와 4)은 여기(빗변에 면한 정사각형)에 속한다. 벌써 그 속에 들어 있다." 여러분이 여기에 이것(5)을 잘라서 이 삼각형(3) 위에 놓고, 여기에 이것(6)은 여기(1)에 올려놓습니다. 그러면 결국 같은 것이 나옵니다. 이렇게 이등변 직각삼각형을 이용하면 모든 것이 완전히 투명해집니다. 그런데 이등변 직각삼각형이 아니라 변이 각기 다른 직각삼각형이 있다고 합시다.(그림18 참조) 이 경우에는 다음과 같이 할 수 있습니다. 이 직각삼각형(그림20 △ABC)을 다시 그립니다. 그 다음에 빗변에 면해 정사각형을 그립니다.(□ABDE) 계속해서 다음과 같

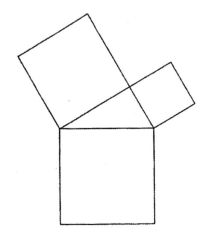

그림18

이 그립니다. 이 직각삼각형 ABC를 이쪽에 덧붙여서 그립니다. BDF입니다. 이 양 직각삼각형 ABC와 BDF 는 동일합니다. 이것을 여기에 다시 한번 그립니다. 그 럼 AEG입니다. 이렇게 또 하나의 직각삼각형이 있기 때문에 이제 직각을 낀 변에 면한 정사각형 CAGH를 그릴 수 있습니다.(빨간색) 제가 여기 빨간색으로 그린 것은 직각을 낀 변에 면한 정사각형입니다.

47.　　보다시피 이번에는 여기에 직각삼각형을 그릴 수 있습니다. DEI. 네, 여기에도 직각삼각형이 생겼습니

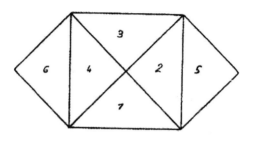

그림19

다. 그럼 이제 여기에 초록색으로 그리면, 직각에 면한 다른 변에서 다시금 정사각형이 나옵니다. DIHF. 이렇게 두 개의 정사각형이 나옵니다. 직각을 끼고 있는 두 개의 변에 면한 두 개의 정사각형이 나왔습니다. 이 정사각형에서는 직각을 낀 변 AG를, 다른 정사각형에서는 다른 변 DI를 이용했습니다. 직각삼각형은 이것 (AEG)과 이것(DEI)입니다. 그런데 둘 다 동일합니다. 보통 합동이라고 말하지요. 그런데 빗변에 면한 정사각형은 어디에 있습니까? 제대로 구별할 수 있도록 하기 위해

제가 그것을 보라색으로 그리겠습니다. ABDE, 빗변에 면한 정사각형입니다. 이제 형태 자체에서 보여 주어야 합니다. 빨간색(1, 2)과 초록색(3, 4, 5)을 합하면 보라색 (2, 4, 6, 7)과 동일한 면적이 나옵니다.

48.   이제 굉장히 쉽게 알아볼 수 있습니다. 먼저 여기 빨간색 정사각형을 봅시다. 빗변에 면한 정사각형과 공동면이 있습니다. 2가 양 정사각형에 중복됩니다. 이제 초록색 정사각형을 보면 거기에도 중복되는 부분이 있습니다. 4가 중복됩니다. 그래서 이 그림에서 보라색 정사각형인 ABDE의 부분인 모양들(2, 4)이 일단 나옵니다. 이 모양들은 실제로 보라색 정사각형 속에 들어 있습니다. 그러니까 보라색 정사각형 ABDE 속에 빨간색 정사각형에 속하는 부분(2)이 들어 있습니다. 다른 쪽 부분(1)은 나머지로 남습니다. 이 부분은 보라색 정사각형에 아직 속하지 않습니다. 그런데 보라색 정사각형에는 초록색 정사각형의 부분(4)도 들어 있습니다. 이제 제가 할 일이란 나머지 1, 3, 5를 보라색 정사각형에 어떻게 집어넣어야 할지 알아보는 것입니다.

49.   다시 한번 정확하게 짚어 보아야 합니다. 빨간색 정사각형의 한 부분(1)과 초록색 정사각형의 한 부분(3)이 남아 있습니다. 그리고 여기에는 직각삼각형 전체(5)

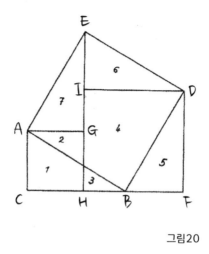

그림20

가 아직 남아 있습니다. 이 삼각형은 초록색 정사각형 DIHF에 속합니다. 이제 남은 부분들을 보라색 정사각형으로 옮겨 봅시다. 남아 있는 것 5를 6으로 옮깁니다. 이제 1과 3이 남아 있습니다. 이것을 오려 내서 7로 옮깁니다. 7에 정확하게 들어맞습니다. 더 분명하게 그릴 수 있겠지만, 이 상태에서도 주제를 간파했으리라 믿습니다. 수업에서 할 일이란 이 그림과 더불어 일목요연하게 설명해 주는 것입니다. 이렇게 면적을 종이로 오려 내 중첩함으로써 피타고라스의 정리가 옳다는 것을 보여 주었습니다. 여러분은 이렇게 중첩하는 방식에서 어떤 것을 발견하게 됩니다. 흑판에 그저 그리지만 않고 면적을 오려 내서 겹쳐 보면 주제를 간파하기가 굉장히 쉽다는 것입니다. 이렇게 간단하게 알아볼 수 있는데도 불구하고 여러분이 나중에 다시 기억해 보려고 하면, 이 모든 모양이 정확하게 떠오르지 않습니다. 언제나 처음부터 찾아야 합니다. 정확하게 기억해 낼 수 없기 때문에 처음부터 새롭게 시작해야 합니다. 네, 이는 좋은 일입니다. 굉장히 좋은 일입니다. 이런 현상은 피타고라스의 정리에 어울립니다. 피타고라스의 정리를 증명하려면 언제나 처음부터 다시 시작해야 합니다. 피타고라스의 정리를 이해했다는 것을 언제나 잊어버려야 합니다. 그래야 피타고라스의 정리에 들어 있는 경이로운 성격에 어울립니다. 그렇게 하면 여러분은 주제에 활기를 불어넣을 수 있습니다. 이 연습을 아무리 반복해서 시켜도 아이들은 해결하기 위해서 늘 애를 쓴다는 것을 보게 됩니다. 금세 답을 찾지 못하고 매번 한참 동안 생각합니다. 바로 이런 현상이 피타고라스의 정리에 담긴 내적으로 살아 있는 요소에 부합합니다. 매우 명료하고 식상한 방식으로 피타고라스의 정리를 증명한다면 별로 좋지 않습니다. 그 정의를 배운 즉시 잊어버리고, 증명을 할 때마다 매번 다시 처음부터 시작해야 한다면 훨씬 더 낫습니다. 그래야 피타고라스의 정리가 경이롭다는 생각과, 직각삼각형의 빗변에 면한 정사각형은 직각을 끼고 있는 변에 면한 두 개의 정사각형의 합이라는 정리가 특이하다는 생각과 부합합니다.

50.　　10, 11세 아이들에게 기하학을 가르치면서 피타고라스의 정리를 그렇게 면적 비교로 설명해 줄 수 있을 만큼 진도를 나갈 수 있습니다. 그 나이 아이는 그 정리를 이해하고 나면 굉장한 성취감을 느끼고 더 배우려는 열의가 생겨납니다. 피타고라스의 정리가 아이들을 기쁘게 만듭니다. 그래서 그것을 반복해서 자꾸 연습하고 싶어합니다. 특히 면적을 오려서 겹치도록 시키면 더욱 그렇습니다. 물론 학급에 지적인 건달 몇 놈은 늘 있기 마련이고, 그 녀석들은 그것을 정확하게 기억하고 있다가 다시 문제를 내면 금방 해결합니다. 그래도 아이들 대부분은 지혜롭고 현명해서 언제나 반복해서 잘못된 면을 오리고, 각 면을 올바르게 맞출 수 있기까지 한참 동안 미적거립니다. 그런 현상은 피타고라스의 정리에 담긴 경이로움에 부합합니다. 그 경이로움을 벗어나서는 안 되고, 그 속에 머물러야 합니다.

여섯 번째 강의

1924년 8월 18일

아동 발달 단계의 성격
에테르체의 조형 활동과 조형적-회화적 활동에 대한 아이의 자연스러운 욕구
사춘기
음악 수업
번역이 아닌 다양한 소리 감각으로 배우는 언어
내면을 표현하는 오이리트미
체조와 체육을 통한 외부 세계 적응

01.　　　지금까지 다룬 내용에 연결해서 방법론에 관한 몇 가지를 더 살펴보기로 합시다. 그 전에 한 가지를 짚고 넘어가겠습니다. 이 자리에서 허락된 강의에서는 시간 문제로 지난 며칠 동안 교육적 차원에서 제시한 몇 가지 조언을 더 깊이 파고들 수 없다는 것입니다. 우리는 원리에 해당하는 것만 다룰 수 있습니다. 여러분은 나중에 발도르프학교 교사 양성 과정**08**을 강의록으로 따로 공부할 예정이지요. 오늘 다룰 원리를 일단 수용하면, 그때 그 내용을 더 깊이 이해할 수 있을 것입니다.

02.　　　이갈이를 할 때부터 사춘기 전까지 아이를 다시 한번 철저히 주시해 보기로 합시다. 이갈이를 하기 전

08　1919년 8월 21일부터 9월 6일까지 슈투트가르트에서 행한 교사 교육, 『인간에 대한 보편적인 앎』(GA293, 밝은누리, 2007), 『발도르프 교육 방법론적 고찰』(GA294, 밝은누리, 2009), 『세미나 논의와 교과 과정 강의』(GA295, 밝은누리, 2011)

에는 유전된 소인이 아이 내면에서 결정적 역할을 한다는 점을 확실히 알고 있어야 합니다. 아이는 부모에게서 모형에 해당하는 육체를 얻습니다. 그리고 이갈이를 하는 시기까지 그 육체를 완전히 벗어 냅니다. 말하자면 유전된 육체가 인생의 첫 번째 7년 주기 동안 새로운 육체로 대체되는 것이지요. 이갈이는 모형으로 받은 육체가 첫 번째 7년 주기 동안 새로운 육체로 바뀌었다는 표현일 뿐입니다. 그리고 인간의 정신적, 영적 부분이 새 육체에 일을 합니다. 제가 여러분께 말씀드렸습니다. 정신적, 영적 개인성이 강한 아이는 상황에 따라 이갈이를 하는 시기부터 사춘기까지 그 이전 성격에 비추어 보아 굉장히 많이 변합니다. 개인성이 허약한 아이는 유전된 소인과 매우 유사한 것이 나옵니다. 그런 아이의 외모는 초, 중등 과정을 거치는 동안 부모나 조부모와 매우 비슷하게 된다는 것을 알아볼 수 있습니다.

03.   반드시 명심해야 할 사항 한 가지가 있습니다. 인간의 에테르체는 이갈이를 하면서 비로소 독자적으로 활동하기 시작한다는 것입니다. 첫 번째 7년 주기에 에테르체는 독자적인 활동 능력을 모두 동원해서 두 번째 육체를 짓는 데에 몰두합니다. 그러므로 첫 번째

7년 주기에 에테르체는 아이 내부에서 뛰어난 예술가, 조각가, 조소가로 존재합니다. 에테르체가 육체를 조형하는 힘은 대략 7세경에 이갈이를 하면서 새 육체를 짓는 일에서 풀려나 자유로워집니다. 그때가 되면 에테르체가 비로소 영적인 차원에서 활동할 수 있다는 의미지요.

04.　　그래서 두 번째 7년 주기에 아이는 조형 작업이나 그림으로 표현하려는 욕구가 있습니다. 에테르체는 첫 번째 7년 주기 내내 아이의 육체에 소조를 하고 그림을 그립니다. 이갈이를 한 후에는 육체에 더 할 일이 없거나, 적어도 할 일이 별로 없다 보니 그때부터는 외부에서 활동하고 싶어합니다. 그러므로 여러분이 교사로서 인간 유기체에 어떤 형태가 있는지 잘 알고 있다면, 아이가 조형 재료로 어떤 모양을 즐겨 만드는지, 색채로 무엇을 즐겨 그리는지 알아볼 수 있어서 결과적으로 아이에게 유익한 길잡이가 될 수 있습니다. 여러분 스스로 인간 유기체에 대한 예술가적 안목을 지녀야 합니다. 이런 연유에서 교사 스스로 조형 작업을 하는 것은 상당히 중요합니다. 특히 오늘날 교사 양성에 조형 작업이 들어 있지 않아서 더욱 중요합니다. 폐나 간 혹은 복잡다단한 혈관에 관해 책으로 많이 배울 수

있습니다. 그래도 여러분이 한 번쯤 왁스나 점토로 그런 것을 소조해서 알게 되는 것에 비하면 새 발의 피에 불과합니다. 실제로 소조를 해 본 사람은 이 사실을 시인할 수밖에 없습니다. 어떤 대상물을 소조로 모사해 보면 완전히 다른 방식으로 알아보기 시작합니다. 폐를 한번 봅시다. 폐는 양쪽을 각기 완전히 다르게 만들어야 합니다. 폐는 대칭을 이루지 않습니다. 한쪽은 두 부분으로 되어 있고, 다른 쪽은 심지어 세 부분으로 되어 있습니다. 이 사실을 모르면 왼쪽 폐와 오른쪽 폐를 구분하지 못합니다. 여러분이 기이하게 비대칭인 폐의 형태를 왁스나 점토로 한번 만들어 보면, 유기체의 오른쪽에 심장을 만들지 않는 것과 마찬가지로 오른쪽 폐와 왼쪽 폐를 절대 혼동하지 않습니다. 뿐만 아니라 유기체에 들어앉아 있는 폐를 형태 그대로 느낄 수 있게 됩니다. 여러분이 이런 느낌을 적절히 키운다면, 걸어가는 동안 차츰차츰 곧추선 위치로 폐가 들어선다는 느낌이, 똑바로 선다는 느낌이 생길 수밖에 없습니다. 동물의 폐는 수평으로 놓여 있습니다. 이는 만들어 보면 알 수 있지만, 직접 손으로 만져 보기만 해도 알 수 있습니다. 동물의 다른 기관도 그렇습니다.

05.   인간 육체와 전혀 비슷하지 않고 그저 형태만 있

는 것을 아이에게 만들거나 그리게 시키려면, 여러분은 정말 조형적으로 해부학을 다루어 보았어야 합니다. 그러면 인간 유기체의 내부 기관을 생각나게 하는 형태를 만들려는 욕구가 아이에게 있다는 것을 보게 됩니다. 수업이 진행되는 동안 실로 기이한 체험을 하게 됩니다.

06.   발도르프 교육 방법론에서는 당연하기 때문에 우리는 인간학 수업을 모든 학년, 특히 4, 5, 6, 7학년에 추가했습니다. 발도르프학교에서는 처음부터 그림 그리기를 가르치고, 특정 학년이 되면 조형 작업도 합니다. 아이들한테 인간의 폐나 다른 기관에 관해 이야기해 준 다음에 특별한 지시를 하지 않고 그냥 무엇인가 만들게 하면 실로 흥미로운 일이 벌어집니다. 아이들이 폐나 다른 기관과 유사한 형태를 만들기 시작합니다. 그렇게 하라고 하지 않았는데도 아이들은 그냥 그렇게 합니다. 어떻게 자신의 인간 본질을 근거로 해서 형태를 만들어 내는지 관찰해 보면 실로 흥미진진합니다. 그래서 여러분은 조형 작업을 하려는 마음이 있어야 하고, 왁스나 점토로 인간 유기체의 형태를 있는 그대로 모사할 방법과 기회를 강구해야 합니다. 그런 재료가 없다면 길거리에 널린 쓰레기로 작업해도 괜찮습

니다. 아이들이 흔히 그런 것을 가지고 놀지 않습니까? 다른 재료가 전혀 없는 경우라면 쓰레기도 훌륭한 재료가 될 수 있습니다.

07.   그렇게 조형적, 회화적 활동을 하려는 것이 에테르체의 내적 갈망이며 욕구입니다. 그래서 그 갈망과 욕구에 쉽사리 연결할 수 있습니다. 아이가 그린 그림이나 조형 작품에서 활자를 건져 낼 수 있습니다. 그렇게 하면 진정한 인간 인식을 근거로 수업을 형성할 수 있게 됩니다. 이런 것이 그 연령 단계에서 이루어져야 합니다.

08.   계속합시다. 인간에게는 육체가 있고, 7세 무렵에 해방되어 자유로워지는 에테르체가 있습니다. 그에 더해 아스트랄체와 나/Ich가 있습니다. 7~14세 아이에게 아스트랄체란 과연 무엇입니까? 아스트랄체는 사춘기가 되어야 비로소 온전히 활동할 수 있게 됩니다. 그 나이가 되어야 비로소 아스트랄체가 인간 유기체 속에서 온전히 작용한다는 의미입니다. 에테르체는 태어나서 이갈이를 할 때까지 특정한 의미에서 육체적인 것을 차츰차츰 벗어납니다. 그 반면에 7~14세 아이는 아스트랄체를 차츰차츰 흡수합니다. 아스트랄체가 완전히 흡수되면, 달리 말해 아스트랄체가 더 이상 헐렁

한 상태에 있지 않고 육체와 에테르체에 완전히 결합
되면, 성적으로 완숙된 지점에 이릅니다.

09.   남자 아이는 변성기에 아스트랄체가 후두에 완
전히 들어선 것을 알아볼 수 있습니다. 여자 아이는 유
방 등 다른 기관의 성숙에서 아스트랄체가 유기체에
온전히 들어섰다는 것을 알아볼 수 있습니다. 아스트
랄체는 사방에서 인간 신체에 천천히 스며듭니다.

10.   아스트랄체가 기준 삼아 따라가는 방향은 신경
다발입니다. 신경 다발을 따라서 신체 외부에서 내부
로 진입하는 것이지요. 신체 주변에서 시작해서 피부
를 통과해 몸 속으로 차츰차츰 스며들어 육체 전체를
채웁니다. 이전의 아스트랄체는 헐거운 구름처럼 주변
에 존재하고, 아이는 그 구름 속에 들어 있습니다. 아
스트랄 구름이 수축하기 시작하면서 모든 내부 기관
을 장악하고, 마침내 유기체와 완전히 결합됩니다. 아
스트랄체가 육체와 에테르 조직에 화학적으로 연결된
다고 표현할 수 있습니다.

11.   그런데 그 과정에 특이한 것이 있습니다. 아스트
랄체가 육체 외곽에서 내부로 진입하는 것을 보면, 신
경을 따라 들어와서 결국 척추 속에 집중됩니다.(그림21
을 그린다) 여기 위에 머리가 있습니다. 아스트랄체는 머

리 신경을 통해서도 몸에 진입합니다. 신경을 타고 중심 기관을 향해, 척수와 머리를 향해 천천히 스며들어 모든 것을 채웁니다.

그림21

12.   이제 특히 고찰해야 할 것은 호흡이 신경 체계 전체와 협력하는 방식입니다. 호흡과 전체 신경 체계 간의 협력은 인간 유기체 내에서 실로 완전히 특이한 것입니다. 여러분은 교육하는 사람으로서 이를 위해 최고도로 섬세한 감각을 지녀야 합니다. 그 감각이 있어야만 올바르게 수업을 할 수 있습니다. 이제 한번 봅시다. 사람이 흡입한 공기가 몸속에 퍼집니다. 척수관

을 통해 위로 올라가서(그림21 참조) 두뇌 속에 퍼집니다. 언제나 신경 다발과 함께 올라가고 다시 내려갑니다. 사람이 흡입한 공기는 언제나 그 길을 따라가고, 다시금 그 길을 통해서 탄산으로 배출됩니다. 이 과정에서 우리는 들이마신 공기로 끊임없이 신경 체계를 가공합니다. 호흡된 공기가 척수관을 통해 위로 올라가 확산되고, 탄소로 구석구석 침투한 후 다시금 폐로 돌아가 바깥으로 배출됩니다. 신경 다발을 따라 진행되는 호흡 전체는 7~14세 사이에, 달리 말해 이갈이를 하기 시작해서 성적으로 성숙되는 시기에 육체에 완전히 들어서는데, 바로 아스트랄체 쪽에서 그렇게 합니다. 그래서 아스트랄체는 들이마신 공기의 도움으로 차츰차츰 신체에 개입하는 기간 동안 현絃처럼 척수관 중앙을 통과하는 것에 연주를 합니다. 우리 신경은 실로 일종의 현악기입니다. 진정 머릿속으로 음이 울려 들도록 하는 내적인 현악기가 신경입니다.

13.　　　이갈이를 하기 시작하면, ─ 물론 이갈이를 하기 이전에 이미 시작되기는 합니다. 그래도 그 이전에는 아스트랄체가 아직 헐거운 상태에 있습니다. ─ 아스트랄체는 호흡한 공기로 개별적인 신경 다발을 바이올린의 현처럼 이용합니다.

14.   아스트랄체의 그 활동을 촉진할 수 있는 것은 노래입니다. 노래하는 아이는 일종의 악기라는 느낌이 반드시 있어야 합니다. 음악 시간에 노래를 가르칠 때 아이 각자가 악기이며, 울림의 쾌감을 내적으로 감지한다는 것을 분명하게 느끼면서 교단에 서야 합니다.

15.   왜냐하면 울림은 바로 호흡의 특이한 순환을 통해서 작용하기 때문입니다. 호흡은 내적인 음악입니다. 그런 연유에서 첫 번째 7년 주기에는 오직 모방을 통해 모든 것을 배우도록 하는 반면에, 두 번째 7년 주기에는 선율과 리듬을 형성할 때 생기는 내적인 쾌감에 따라 노래를 배울 수 있도록 조처해야 합니다. 아이들 앞에 서서 음악 수업을 할 때 한 가지 표상이 반드시 있어야 합니다. 조금 조야한 방향으로 가기는 해도 제 의도를 분명하게 해 줄 비교를 한 가지 이용하겠습니다. 여러분이 소 떼를 관찰해 본 적이 있는지 궁금합니다. 여러분 대부분이 한 번쯤은 소 떼를 관찰할 정도의 여유가 있었기를 바랍니다. 소들은 풀을 뜯어먹은 후 오랫동안 풀밭에 앉아서 소화를 합니다. 소들이 무리지어 앉아서 소화하는 광경은 실로 불가사의합니다. 소 내부에 세계 전체의 모사 같은 것이 존재합니다. 소는 소화 기관 속에서, 영양 섭취 기관 속에서 소화가 이루

어지는 동안, 그러니까 소화한 음식물이 혈관과 임파선으로 넘어가는 동안, 모든 소화 과정이 일어나는 동안 실로 충족감을 만끽합니다. 그 충족감은 곧 인식입니다. 어떤 소든 소화하는 동안 경이로운 오라aura를 지닙니다. 그 오라 속에 세계 전체가 반사됩니다. 초지에 앉아서 반추하며 소화하고, 그 소화에서 세계 전체를 파악하는 소 떼, 이는 사람이 볼 수 있는 가장 아름다운 광경입니다. 인간은 그 모든 것이 잠재 의식 속에 밀어 넣어졌고, 그로써 몸이 인식하면서 처리하는 것을 머리로 반사할 수 있습니다.

16.　　인간은 이런 면에서 불리한 상황에 있습니다. 소가 소화하는 동안 하는 아름다운 체험을 하지 못하도록 머리가 방해하기 때문입니다. 우리가 소화 과정을 체험할 수 있다면 세상에 대해 훨씬 더 많은 것을 알 수 있을 것입니다. 단 인간이 소화를 하면서 무의식적으로 머물 때의 느낌이 아니라 인식의 느낌을 가지고 실제로 소화 과정을 체험해야 할 뿐입니다. 이 사실이 제가 말하고자 하는 것의 의미를 분명하게 해 줄 것입니다. 교육학에서 소화 과정을 중시해야 한다고 주장하는 게 아닙니다. 아이는 더 고차적인 단계에서 어떤 것을 지닐 수밖에 없다는 것을 말하고 싶을 뿐입니

다. 그것은 울림의 내적인 흐름이 주는 충족감입니다. 바이올린이 그 내부에서 일어나는 것을 느낀다고 상상해 보십시오! 우리는 바이올린 소리를 듣기만 합니다. 바이올린은 우리 외부에 있고, 우리는 울림의 생성 모두를 낯설게 대합니다. 울림의 외적 감각 상만 들을 뿐입니다. 각 현이 서로 떨리면서 바이올린이 어떻게 화음을 내는지 감지할 수 있다면, 천상의 열락을 체험할 것입니다. 물론 곡 자체가 훌륭해야 한다는 전제 조건에서입니다. 여러분은 아이들이 이런 종류의 자그마한 행복감을 체험하도록 음악 수업을 해야 합니다. 전체 유기체 속에 진정한 음악적 느낌을 불러일으켜야 합니다. 그리고 여러분 스스로 그것에서 진정한 기쁨을 누려야 합니다.

17.   물론 언급할 여지없이 음악에 관한 이해가 조금은 있어야 하겠지요. 수업에는 제가 방금 언급한 예술적 요소가 속합니다.

18.   처음부터 음악 수업을 해야 합니다. 이갈이를 할 때부터 사춘기까지 인간 존재에서 일어나는 실제 과정이 음악을 요구하기 때문입니다. 이론이 아니라 완전히 경험으로만 가르칩니다. 짤막한 노래를 따라 부르게 하면 충분합니다. 그런데 제대로 부르게 해야 합니다!

그 다음에 차츰차츰 간단한 음악 요소로 넘어갑니다. 그렇게 함으로써 아이들이 곡조, 리듬, 박자 등이 무엇인지 차츰차츰 익히게 됩니다. 처음에는 쉽고 짧은 노래를 부르는 습관을 들여 줍니다. 사정이 허락하는 대로 놀이도 하면서 노래를 부릅니다. 발도르프학교에서는 아이가 전혀 소질이 없지 않는 한 입학 직후에 어떤 종류든 악기 한 가지를 배우게 합니다. 이미 이야기했듯이 상황이 허락하는 한도 내에서 악기 다루는 법을 가르치는 것이지요. 자신의 음악적 본질이 객관체인 악기에 흘러들 때 과연 어떤 느낌이 드는지, 가능한 한 이른 나이에 체험하도록 도와주어야 합니다. 그렇게 하는 데에 피아노는 사실 일종의 기억 악기에 불과해서 아동을 위해서는 가장 부적절합니다. 피아노가 아니라 다른 악기를 가르쳐야 한다면, 아마도 관악기가 되어야 할 것입니다. 악기를 가르치기 위해서 교사가 악기를 예술적으로 다룰 줄 알아야 하는 것은 더 말할 필요가 없겠지요. 그에 더해 저는 권위라는 단어로 표현하고 싶은데, 교사는 적절한 권위 역시 있어야 합니다. 가능한 한 입으로 불 수 있는 악기로 시작합니다. 아이들은 단순한 종류의 관악기를 배우면서 차츰차츰 음악적 이해를 키울 때 가장 많은 것을 얻습니다. 아이들이 리코더 같은 관악기를 불기 시작하면, 그 소리가 교사에게는 정말 최악의 경험이 될 수 있습니다. 그래도 다른 한편으로는 관악기를 불 때 경이로운 것을 체험하게 됩니다. 아이가 악기를 다루면서 평소에는 주변에 부유하는 공기의 전체적인 구성 상태를 신경 다발을 따라 내적으로 유지시켜야 합니다. 그것을 지속시키고 몸속으로 유도해야 합니다. 그렇게 하면서 인간은 자신의 유기체가 확장된다고 느낍니다. 보통은 유기체 속에만 들어 있는 과정이 외부 세계로 유도됩니다. 아이가 바이올린을 배울 때도 이와 유사한 상태입니다. 바이올린을 연주하면 생생한 음악이, 살아 있는 과정이 직접 전달됩니다. 연주자가 내면의 음악성이 어떻게 활을 통해 현에 전달되는지 등을 느낍니다.

19.   특히 음악 수업과 노래 부르기를 가능한 한 빨리 시작하십시오! 모든 수업을 예술적으로 해야 할 뿐 아니라, 사실상 예술 수업, 즉 회화, 조형, 음악 수업을 1학년부터 곧바로 시작하고, 그 모든 것이 정말로 내적, 인간적 자산이 되게끔 노력해야 합니다. 이는 굉장히 특별한 의미가 있습니다.

20.   아동 발달에서 9~10세 사이의 시점을 언어 수업과 연관해 주시하는 것은 특히 중요합니다. 9~10세 사

이에 놓인 그 시점은 이미 이야기했습니다. 그 나이에 이르러야 비로소 주변 환경과 자신을 구분하기 시작합니다. 이전에는 자신과 주변 환경을 동일시합니다. 아이가 학교에 입학하면 이미 이야기한 방식으로 적절히 수업을 시작합니다. 아이가 이갈이를 하기 전에 학교에 보내서는 안 됩니다. 너무 어린 나이에 학교 수업 내용을 가르치는 것은 근본적으로 몹쓸 짓입니다. 법으로 강요된다면 어쩔 수 없겠지만 객관적으로는 교육적으로나 예술적으로 아무 가치가 없습니다. 객관적으로 교육적, 예술적이란 이갈이를 하기 시작하면 비로소 학교에 보내는 것입니다. 아이가 학교에 들어가서 가장 먼저 해야 할 일은 이미 이야기했듯이 예술적 요소를 이용해 문자 형태를 예술적인 것에서 생겨나게 하는 것입니다. 독자적인 예술 과목 역시 이런 방식으로 시작해야 합니다. 자연과 관계하는 모든 것은 우화, 신화, 전설로 다루어야 합니다. 이 역시 이미 이야기했습니다. 그런데 무엇보다 중요한 것은 언어 수업과 관련해서 9~10세 사이의 인생 주기를 고려해야 한다는 것입니다.

21. 이 시점에 이르기 전에는 언어 수업에 지적 고찰 요소가 들어 있어서는 절대로 안 됩니다. 그러니까 문

법이나 문장 구조 등에 관해서는 아무것도 가르쳐서는 안 된다는 의미입니다. 9~10세 사이 시점까지는 아이가 일상생활에서 어떤 것을 습관으로 체화할 때처럼 말을 배워야 합니다. 그 나이에는 언어를 습관처럼 습득해야 합니다. 주변 환경과 자신을 구분하기 시작하면 아이 스스로 이루어 내는 것, 달리 말해 아이 스스로 하는 말을 고찰해도 됩니다. 그때가 되면 주어, 형용사, 동사 등에 관해 가르칠 수 있습니다. 그 전에는 그런 주제를 다루어서는 안 됩니다. 순수하게 그저 말만 해야 하고, 그렇게 하는 말 속에 머물러 있어야 합니다.

22.   발도르프학교에서는 이렇게 할 기회가 충분히 있습니다. 왜냐하면 아이가 초등 과정에 들어오는 즉시 저학년에서 이미 모국어 외에도 두 가지 외국어를 가르치기 때문입니다.

23.   아이가 아침에 학교에 옵니다. 학교에 오자마자 첫 수업으로 일단 주기 집중 수업을 하고, — 주기 집중 수업이 무엇인지는 이미 설명했습니다. — 그에 이어 저학년 아이들은 영어와 프랑스어 수업을 합니다. 언어 수업을 할 때 한 가지 언어가 다른 언어에 대해 지니는 관계는 전혀 고려하지 않습니다. 제가 이야기한 인생 시점 이전에는, 즉 9, 10세가 되기 전에는 독일어의 탁

자는 영어의 table이고, 독일어의 먹다는 영어에서 eat라 한다는 것을 완전히 도외시합니다. 한 언어의 단어를 다른 언어의 해당 단어와 연결시키지 않습니다. 그렇게 하지 않고, 단어가 의미하는 대상물에 직접 연결시킵니다. 영어로든, 프랑스어로든 천장, 전등, 의자 등 사물을 명명하도록 가르칩니다. 7, 8, 9세에는 언어 수업을 하면서 번역에, 달리 말해 한 언어에서 다른 언어로 단어를 옮기는 것에는 가치를 두지 않습니다. 외부 사물에 기대어 한 언어로 그저 말하기를 배우고, 영어로 table이라 말하면서 그것이 독일어에서 탁자를 의미한다는 등을 전혀 알 필요가 없이 합니다. 그런 것은 생각조차 할 필요가 없습니다. 아이에게는 그런 것이 존재하지 않습니다. 우리 학교에서는 그 나이가 되기 전 아이에게 언어 비교 같은 것을 가르치지 않기 때문에 아이들은 언어 수업을 하는 동안 그런 것을 해야겠다는 낌새조차 보이지 않습니다.

24. 그렇게 함으로써 아이가 언어의 근본 요소에서 배울 가능성을 얻습니다. 어떤 언어든 그것이 유래하는 근본 요소와 느낌 요소에서 배웁니다. 소리라는 관점에서 언어란 과연 무엇입니까? 언어는 소리로 이루어져 있지 않습니까? 한편으로 언어는 내적 영혼의 표

현입니다. 그 표현을 위해 모음이 있습니다. 다른 한편으로 언어는 외적인 것의 표현이고, 이를 위해 자음이 있습니다. 그런데 먼저 이것을 느껴야 합니다. 예를 들어 아이가 water라는 단어에 들어 있는 것을 느껴야 한다고 가정합시다. 제가 이제 이야기할 것은 수업에 적용하지 않습니다. 대신 아이가 모음에는 느낌을 정말로 연결시킬 수 있도록, 자음에는 외부 대상물의 모사를 느낄 수 있도록 수업을 구성합니다. 그것이 인간 본질에 들어 있기 때문에 아이 스스로 그렇게 합니다. 우리는 그것을 몰아내서는 안 되고, 오히려 그것에 연결해야 합니다.

25. 이제 한번 보십시오. 아(A)는 과연 무엇입니까? 이는 여러분이 알아야 할 사항이지, 아이들과 하는 수업에 속하지 않는다는 점을 명심하십시오! 무엇이 아(A)입니까? 아침에 해가 떠 오릅니다. 제가 그렇게 떠오르는 태양을 경이롭게 바라봅니다. "아!" 아(A)는 언제나 놀라움의 표현, 경이로움의 표현입니다. 파리가 제 이마에 앉습니다. 제가 "에(E)~"라고 소리 지릅니다. 에(E)는 방어의 표현입니다. 무엇인가를 치워 버리겠다는 표현입니다. 물론 영어와 독일어를 비교해 보면 약간 차이가 있기는 합니다. 그럼에도 불구하고 이런 것은

그림22

그림23

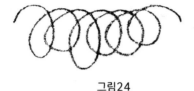

그림24

모든 언어에서 볼 수 있는 근본 요소입니다. 이 놀라움 과 경이로움의 표현 역시 모든 언어에 존재합니다.

26.　　이제 한 가지 특이한 단어를 보기로 합시다. 구르 다. 공이 굴러갑니다. 독일어는 rollen, 영어는 roll입니 다. 여기에 르(R)가 있습니다. 제가 계속해서 굴리면 누 가 을(L)을 느끼지 않을 수 있겠습니까?(그림22 참조) 르 (R)는 한 지점에서 구를 뿐입니다.(그림23 참조) 을(L)은 계 속 굴러갑니다. 을(L)은 언제나 계속 흘러갑니다. 자음 속에 외부 과정이 모사되어 있다는 것을 여러분은 Roll 이라는 단어에서 볼 수 있습니다.(그림24 참조)

27.　　　이런 식으로 언어 전체는 놀라움, 경이로움, 자기
　　　방어, 자기 주장 등 내적 느낌에서 생겨난 모음과 외부
　　　대상물을 모방하는 느낌에서 나온 자음으로 이루어져
　　　있다고 이해해야 합니다. 아이에게서 이 느낌을 몰아
　　　내서는 안 됩니다. 아이는 발음을 발달시키기 위해 외
　　　부 대상물과 그에 대한 자신의 느낌에 기대어 느끼기
　　　를 배워야 합니다. 모든 것을 언어 감각 자체에서 건져
　　　내야 합니다. roll에서 정말로 r-o-l-l을 느껴야 합니다.
　　　모든 단어를 그렇게 느껴야 합니다.

28.　　　현대 문명인은 그 느낌을 완전히 잃어버렸습니
　　　다. 단어는 그저 써 놓은 어떤 것, 혹은 완전히 추상적
　　　인 어떤 것이라 생각합니다. 사실 오늘날 사람들은 언
　　　어에 완전히 들어가 그 속에서 살면서 느낀다는 게 무
　　　엇인지 전혀 모릅니다. 원시 언어를 보면 느낌이 아직
　　　말 속에 들어 있습니다. 가장 문명한 언어일수록 말을
　　　추상화합니다. 여러분의 모국어인 영어에서 어떻게 한
　　　단어의 절반이, 그러니까 뒷부분이 그저 얼버무려지고
　　　마는지 한번 보십시오. 소리 속에 들어 있는 사실상 느
　　　낌을 어떻게 건너뛰고 마는지 한번 보십시오! 하지만
　　　아이는 언어의 느낌 속에 남아 있어야 합니다.

29.　　　언어 감각을 육성하기 위해서라면 특이한 단어

를 선택하십시오. 그 단어에 기대어 느낌을 상세히 설명해 주면서 언어 감각을 육성합니다. 사람의 몸 위에 얹혀 있는 것을 독일어로는 Kopf라고 합니다. 영어에서는 head라 하고 이태리어에서는 testa라 부릅니다. 그런데 흔히 하듯이 언어에 대해 추상적인 태도를 취하면 어떤 식으로 말합니까? "머리는 독일어로 Kopf라 한다. 이태리어로는 testa고, 영어로는 head다." 사람들은 보통 이렇게 말하지 않습니까? 이는 절대로 진실이 아닙니다. 네, 이런 말은 실로 터무니없습니다.

30.   머리를 한번 보십시오. 머리는 무엇입니까? 머리는 하나의 모양을, 둥그런 모양을 띠고 있습니다. 사람이 머리를 Kopf라고 말할 때는 머리의 둥그런 형태를 표현합니다. testa라고 말할 때는 머리가 어떤 것을 규명한다는 것을 드러냅니다. 그것을 Testament(유언장), testieren(유언하다)라는 단어에서 볼 수 있습니다. 완전히 다른 것을 표현합니다. 사람 몸 위에 얹혀 있는 것을 보면서 말합니다. "이것은 증명하는 자, 유언하는 자 = testa." 영어는 머리가 인간에게서 가장 주된 부분이라는 의견을 보여 줍니다. 물론 여러분은 이런 의견이 전혀 옳지 않다는 것을 잘 알고 있습니다. 하지만 영어에서는 머리가 head로 제일 중요한 것입니다. 모든 것이

그것을 향하고 그 속에 모여듭니다.

31.　　　그러니까 언어마다 대상물의 다른 내용을 표현합니다. 다양한 언어에서 각기 다른 것이 표현됩니다. 어떤 것에 대해 같은 것을 표현하려 했다면 영국과 이태리 사람들도 머리를 Kopf라고 말할 것입니다. 그런데 그들은 머리를 말할 때 독일인과 같은 것을 표현하지 않습니다. 인류의 원초 언어를 보면 어디서나 같은 것을 표현했습니다. 그래서 원초 언어는 전인류에 동일했습니다. 그런데 인류는 분리되었고, 사물을 다양하게 표현하게 되었습니다. 그로써 다양한 언어가 생겨났습니다. 대상물의 다양한 면을 '같은 것'으로 표시하면, 그 대상물의 속성을 더 이상 느끼지 못합니다. 아이에게서 언어 감각을 몰아내서는 절대로 안 됩니다. 언어 감각이 내면에 남아 있어야 합니다. 그래서 9, 10세 이전에는 언어 고찰을 해서는 안 됩니다.

32.　　　9, 10세가 되면 주어, 시제어 등으로, 그러니까 명사, 동사, 형용사 등으로 넘어갑니다. 그 전에는 그런 것을 다루지 않습니다. 그렇지 않으면 아이 자체에 있는 것을 고찰하는 격이 됩니다. 9, 10세 이전 아이는 주변 환경과 자신을 아직 구분할 줄 모르기 때문에 그런 것을 이해하지 못합니다. 여러분이 반드시 명심해야 할

매우 중요한 사항이 있습니다. '9, 10세 이전에는 문법 뿐 아니라 언어 비교도 절대 하지 않는다!' 그래야 노래할 때 얻는 것과 유사한 것을 말을 하면서 얻습니다.

33.   노래할 때 솟아나는 내적 쾌감을 풀밭에 앉아 되새김질하는 소의 소화 기관에서 솟아나는 내적 쾌감과 비교해 보여 주고자 했습니다. 그와 같은 내적 쾌감이, 적어도 주제에 대한 느낌이 존재해서 아이가 'Rollen'이라는 단어를 들으면 그 속에 들어 있는 것을 느껴야 합니다. 'Rollen'을 내적으로 느낄 수 있어야 합니다. 언어는 그저 머리로만 생각해서는 안 되고 내면에서 체험해야 합니다. 물론 오늘날 대부분의 사람들은 그저 머리로만 언어를 생각합니다. 그래서 요즘 사람들은 무엇이 한 언어에서 맞는 것인지, 한 언어에서 다른 언어로 어떻게 옮겨야 할지 알아보기 위해 언제나 사전을 찾아봅니다. 사전에 모든 것이 편찬되어 있고, 'testa'나 'Kopf'가 쓰여 있습니다. 그로써 마치 그 양자는 같은 것이라는 느낌이 형성됩니다. 그런데 그 양자는 같지 않습니다. 각기 언어는 언제나 다른 것을 표현합니다. 그리고 그 다른 것은 느낌을 근거로 해서만 표현될 수 있습니다. 바로 이 점을 언어 수업에서 필수적으로 고려해야 합니다. 거기에 또 다른 한 가지가

더해집니다. 바로 정신적 요소입니다. 인간이 죽은 후에, 혹은 이 지상에 내려오기 전에, 달리 말해 정신세계에 사는 동안에는 명사를 이해할 가능성이 전혀 없습니다. 망자는 명사라는 것을 전혀 모릅니다. 망자는 대상물을 칭하는 이름에 대해 아는 바가 전혀 없다는 의미지요. 대상물의 성격에 대해서는 아직 조금 알고 있습니다. 그러니까 대상물의 성격을 매개로 해서 망자와 대화할 가능성은 있습니다. 사람이 죽은 후 얼마 지나지 않아 그 역시 불가능해집니다. 망자와 대화하는 데 가장 오래 효과가 있기로는 동사를 이용하는 것입니다. 활동을 표현하는 단어, 능동적이고 수동적인 특성을 보여 주는 단어. 그런데 그보다 훨씬 더 오래 효과를 보이는 종류는 느낌을 표현하는 단어입니다. 오! 아! 이! 에! 망자는 이런 감탄사를 가장 오래 보유합니다.

34.   인간 영혼이 그 정신적 성격을 완전히 잃지 않으려면 진정 감탄사 속에서 산다는 것이 얼마나 중요한지 이런 것에서 알 수 있습니다. 실제로 감탄사는 전부 모음으로 되어 있습니다. 자음은 외부 대상물의 모사입니다. 어쨌든 자음은 인간이 지상으로 내려오는 중에는 아직 모르는 것이고, 죽은 후에는 곧바로 소실되고 맙니다. 우리는 이 사실을 진정한 느낌으로 체험

해야 합니다. 그리고 그것이 아이의 어디에 존재하는 지 주시해야 하고, 너무 어린 나이에 명사나 형용사, 동사 등을 가르치면서 몰아내서는 안 됩니다. 그런 것은 9, 10세경에 시작하면 됩니다.

35.　　발도르프학교에서는 이미 1학년부터 오이리트미를 가르칩니다. 오이리트미는 가시적 언어, 보이는 언어입니다. 사람이 보통 말로 표현하는 것을 오이리트미에서는 독무나 군무로 행하는 움직임을 통해 표현합니다. 아이들이 언어 수업에서 언어 감각을 전혀 고려하지 않는 교사로 인해 망가지지 않았다면, 달리 말해 아직 언어 감각을 지니고 있다면, 유아가 자연스럽게 소리 언어를 배우는 바와 마찬가지로 오이리트미를 배우는 것을 매우 자연스러운 것이라고 느낍니다. 아이들한테 별 어려움 없이 오이리트미를 가르칠 수 있습니다. 건강하게 발달한 아이는 오이리트미를 하고 싶어합니다. 오이리트미를 배우려 하지 않는 아이가 있다면, 혹시 병적인 것이 어딘가 몸 한 구석에 들어앉아 있는지 반드시 검사해 보아야 합니다. 유기체의 모든 기관이 건강하다면, 유아기에 말을 배우려 한 것처럼 아주 자연스럽게 오이리트미를 하려고 합니다. 아이는 내적 체험 자체를 기꺼이 표현하려는 욕구를 굉장히 강하게

느끼기 때문에 자연스럽게 말을 배우고 오이리트미를 하려고 합니다. 젖먹이 나이에 벌써 웃거나 울면서 일정한 느낌에 해당하는 얼굴 표정을 짓는 데에서 이미 그런 욕구가 표현되지 않습니까?

36.　여러분이 동물에 관한 이야기를 들려준다고 합시다. 이야기에 나오는 동물이 웃는다고 말해야 할 때 여러분은 진정한 은유와 비유로 표현해야 합니다. 동물은 절대로 사람처럼 웃거나 울지 않습니다. 그래서 내적 체험을 의지 요소로 전환시키는 동물의 몸짓과 움직임은 인간과 완전히 다릅니다.

37.　사람이 하는 말에 법칙성이 있듯이, 오이리트미로 표현하는 것에도 법칙성이 있습니다. 말하기는 임의적인 것이 절대 아닙니다. 예를 들어 영어의 water를 봅시다. 이 단어의 a를 다른 모음으로 대체해서 wuter라고 쓰지 않습니다. 말하기에는 법칙이 있습니다. 그와 마찬가지로 오이리트미에도 법칙이 있습니다. 사람이 평상시에 하는 몸짓이나 손짓을 보면, 비록 그중에 많은 것이 본능적이기는 해도 아직은 특정한 의미에서 자유롭습니다. 곰곰이 생각하는 사람을 봅시다. 손으로 이마를 더듬습니다. 어떤 것이 진실이 아니라는 것을 암시하고 싶은 경우에는 이렇게 머리와 손을 좌우

로 저어 지워 버립니다. 언어가 내면의 체험을 소리로 전환하듯이, 법칙적인 움직임을 통해 내외적 체험이 그림으로 전환됩니다. 그것이 바로 오이리트미입니다. 아이는 오이리트미를 배우고 싶어합니다. 때문에 오늘날 교육에 오이리트미가 포함되지 않는다는 사실은 인간 본질에서 인간의 능력을 자연스럽게 건져 내겠다는 생각을 조금도 하지 않는다는 증거가 됩니다. 만약 그런 생각을 한다면 완전히 자연스럽게, 저절로 오이리트미에 당도하기 때문입니다.

38.   오이리트미를 한다고 신체 운동을 하는 체육 수업을 완전히 배제하라는 말은 아닙니다. 오이리트미는 조금 다릅니다. 여러분은 교육자로서 체육과 오이리트미의 차이를 잘 알고 있어야 합니다. 오늘날 학교에서 실시되는 체육이나 운동 종목은 오이리트미와 조금 다릅니다. 그래도 아무 문제없이 양자를 병행할 수 있습니다. 여러분도 알다시피 흔히 사람들은 공간 개념을 아주 추상적으로 파악합니다. 공간이 구체적인 것이라는 사실을 전혀 유의하지 않습니다. 지구가 둥글다는 생각에 길이 든 탓에 다음과 같이 상상하지 않습니까? 지구 이쪽에 사는 사람이 펄쩍 뛰어오르면서, 위로 뛰어오른다고 말합니다. 그 사람이 지구 반대편에 사

는 사람을 상상하면서 다리는 지구에 면해 있고 머리는 그 아래에 있는 하늘 쪽에 있으니 그 사람은 아래쪽으로 뛴다고 말합니다. 실제로 이런 식으로 생각하지 않습니까? 그런데 이는 전혀 체험될 수 없는 것입니다. ─제가 언젠가 책 한 권을 읽은 적이 있습니다. 자연 철학에 관한 그 책에서 저자는 다음과 같이 말하면서 하늘은 위쪽에 있다는 생각을 비웃었습니다. "그렇다면 지구 저 반대편에 있는 사람을 위한 하늘은 저 아래에 있을지니!" ─ 세상 이치는 그렇게 형편없이 빈약하지 않습니다. 우리는 세계와 공간을 판단할 때 우리 자신을 완전히 배제하고 공간만 추상적인 것으로 제시하는 식으로 하지 않습니다. 흄[09]이나 밀[10], 칸트[11] 같은 저명 철학자들은 그렇게 합니다. 아무리 그래도 그 모든 것은 진실이 아니라 터무니없는 소리입니다. 공간은 인간에 의해 감지되는, 구체적인 것입니다. 인간은 자신이 공간 속에 들어 있다고 느낍니다. 공간 안에서 자리를 잡고 자세를 취해야 한다는 불가피성을 느낍니다. 사

---

09   David Hume(1711~1776)_ 스코틀랜드 철학자, 역사가, 국가 경제학자

10   John Stuart Mill(1806~1873)_ 영국 철학자, 국가 경제학자

11   Immanuel Kant(1724~1804)_ 독일 철학자

람이 공간의 다양한 상태에 따라 균형을 잡고 자세를 취하면, 운동과 체조, 체육이 생겨납니다. 인간은 그런 활동으로 공간에 자신을 위치시키고 싶어 합니다.

39. 예를 들어 어떤 사람이 이렇게(양팔을 양쪽으로 펼친다) 체조를 한다고 합시다. 이렇게 하면서 양팔을 수평으로 쫙 편다고 느낍니다. 펄쩍 뛰어오르는 사람은 자신의 힘을 통해 몸을 위로 움직인다고 느낍니다. 그것이 체육이며 체조입니다.

40. 이(I)를 내적으로 감지해서 숙고하면서 품고 있다고 느끼는 사람도 필시 이렇게 수직으로 움직일 것입니다. 이 경우에는 내면의 영적인 것이 움직임으로 전환됩니다. 인간이 자신의 내면을 바깥으로 드러내는 것입니다. 오이리트미에서 바로 그렇게 합니다. 말하자면 오이리트미는 내면의 현시입니다. 인간이 호흡과 혈액 순환에서 체험할 수 있는 것이 영적으로 되는 한 오이리트미에서 표현됩니다. 체조, 체육, 운동을 할 때는 공간 어디에나 방향과 위치, 자세 등 가능한 모든 것이 있다는 듯이 느낍니다. 활동에 과감히 뛰어들고, 활동이 요구하는 대로 따르고, 활동을 위한 기구를 이용합니다. 사다리를 올라가고, 밧줄에 매달려 기어오르는 등 활동에서는 인간이 외적인 공간을 기준으로 삼아

움직입니다.

41.   이것이 바로 오이리트미와 체조의 차이입니다. 오이리트미는 영혼의 삶을 바깥으로 흘러나가도록 하고, 그로써 언어처럼 인간의 진정한 표현이 됩니다. 그래서 오이리트미는 가시적 언어, 눈에 보이는 언어라고 합니다.

42.   체조, 체육, 운동을 통해서는 인간이 외적인 공간 속에 자리를 잡습니다. 자신이 어떤 방식으로 세상에 잘 들어맞는지 알아봅니다. 세상에 적응하는 방식 중 하나입니다. 이는 언어가 아닙니다. 인간의 현시가 아니라, 세상이 인간에 제시하는 요구 사항입니다. 세상에서 살 만한 능력이 되는지? 세상에서 방향을 잡을 수 있는지? 체육과 오이리트미의 차이를 반드시 알고 있어야 합니다.

43.   체조 교사, 체육 교사는 외부 세계에 적응할 수 있게 만드는 움직임을 아이들한테 시킵니다.

44.   오이리트미 교사는 인간 내면에 들어 있는 것을 표현하게 합니다. 이것을 다시 느끼고 감지해야 합니다. 그러면 오이리트미, 체조와 체육, 운동 연습 등이 교육과 수업에서 올바른 위치를 얻습니다. 그에 대해 내일 계속해서 논의하기로 합시다.

일곱 번째 강의

1924년 8월 19일

7~14세를 위한 교육 예술

01.　　　방법론 몇 가지를 짚어 보기로 합시다. 시간이 한
정되어 있기 때문에 선택된 예시만 다룰 수 있습니다.

02.　　　이갈이에서 사춘기까지 기간은 다시금 세 부분
으로 나뉩니다. 이 세 부분은 특히 초등 과정에서 고려
되어야 합니다.

03.　　　제가 이미 특성을 설명했는데, 일단 아이가 주
변 환경과 자신을 구분하기 시작하는 시점이 있습니
다. 아이가 주체인 자신과 객체인 외부 대상물의 차이
를 구분할 줄 알게 되는 시점까지를 먼저 보기로 합시
다. 그 기간에 우리는 아이 내면과 외부에 있는 모든 것
이 합일된 상태에 있다고 생각하면서 교육해야 합니
다. 그런 것을 어떻게 예술적으로 다룰 수 있는지에 대
해서는 이미 상세히 이야기했습니다. 그 다음에 식물계
와 동물계의 수업 방법론을 다루면서 어떻게 외부 세
계로 넘어가는지도 고찰했습니다. 대략 12세까지 이어
지는 두 번째 기간에서 이런 주제를 기본적으로 가르
칩니다. 그 다음에 12세 무렵부터 사춘기까지가 세 번

째 기간이며, 이때 비로소 생명이 없는 자연계로, 달리 말해 무생물로 넘어갈 수 있습니다. 근본적으로 아이는 그 나이가 되어야 비로소 무생물을 정말로 파악할 줄 알게 됩니다.

04.　　그래서 우리는 다음과 같이 말할 수 있습니다. "만 7세부터 9세 반 혹은 9세 4개월까지 아이는 모든 것을 영적으로 받아들인다. 그 시기 아이는 영적으로 수용하지 않는 것이 없다. 나무, 별, 구름, 돌 등 모든 것을 영적으로 받아들인다. 만 9세 4개월에서 11세 8개월까지 아이는 내면에서 바라보는 영적인 것과 단순한 생명체의 차이를 알아본다. 우리는 그 나이에 있는 아이에게 생명체에 관해, 생명체로서 지구에 관해 이야기할 수 있다. 영적인 것과 살아 있는 것, 양자를 다룰 수 있다. 그 다음에 대략 11세 8개월에서 14세까지 아이는 영적인 것, 살아 있는 것, 죽은 것을 구분한다. 그 나이가 되면 원인과 결과에 따라 연결되는 모든 것을 구분할 줄 알게 된다."

05.　　대략 12세가 되기 전 아이에게 무생물에 관한 것을 가르쳐서는 절대 안 됩니다. 그 나이가 되면 광물과 물리적, 화학적 현상 등을 가르치기 시작해야 합니다. 이갈이와 사춘기 사이에 있는 아이는 지성이 아니라

상상력이 주로 작용하고 있기 때문에 어떤 주제를 다루든 그 상상력을 염두에 두어야 합니다. 정황이 실제로 이러하다는 것을 반드시 명심해야 합니다. 바로 그렇기 때문에 제가 자주 이야기했듯이 특히 교사 스스로 상상력을 발달시켜야 합니다. 상상력을 고려하지 않고 너무 일찍 이해를 요구하는 온갖 주제로 넘어가면, 아이가 육체적, 신체적 발달 과정을 올바르게 거칠 수 없게 됩니다. 현시대에 병적으로 존재하는 많은 것은 이갈이와 사춘기 사이에 있는 아이가 물질주의 사조에 따라 지성적인 것을 너무 많이 배운다는 데에 기인합니다.

06.　　무생물에 대해서는 ─무생물은 지성을 통해서만 파악될 수 있기 때문에─ 12세 정도부터 천천히 조금씩 다루기 시작합니다. 그 나이가 되어야 광물을, 물리학적 주제와 화학적 현상 등을 가르칠 수 있습니다. 그런데 무생물에 관한 수업에서도 어떤 주제든 가능한 한 삶과 생명에 연결해야 합니다. 예를 들어서 광물 수집 같은 것이 아니라 지구 표면에서, 특히 산간 지대에서 시작합니다. 가장 먼저 산맥을 설명합니다. 어떻게 산맥이 지구 형태를 이루고 있는지, 산간 지대라 해도 해발이 낮은 곳은 어떻게 흙으로 덮여 있는지 등.

산간 지대는 더 높이 올라갈수록 더 황량해지고, 식물도 점점 더 적어집니다. 먼저 고지대의 황량한 풍광에서 시작하면서 그곳에 있는 광물에 유의하도록 합니다. 그러니까 산맥에서 출발해서 광물에 접근하는 것이지요.

07.   산간 지대를 일목요연하게 설명한 후에 어떤 종류의 광물을 예시로 보여 주면서 다음과 같이 말합니다. "이 산에서 길을 따라 한참 올라가다 보면 이런 광물을 발견하게 된다. 이 산에는 이런 광물이 있다." 이런 방식으로 몇 가지 광물을 보여 준 다음에 비로소 광물 자체를 다루기 시작합니다. 반드시 이 첫 부분을 먼저 해야 합니다. 그렇게 함으로써 이 주제에서도 부분이 아니라 전체에서 출발하게 됩니다. 이는 매우 중요한 사항입니다.

08.   생활에서 출발해야 한다는 것은 물리학적 현상에서도 똑같이 중요합니다. 오늘날의 전문 서적에 쓰여 있는 물리학을 그대로 가르쳐서는 안 됩니다. 우리는 성냥불을 켜면서 물리 수업을 시작합니다. 우선 타오르는 성냥불을 그저 바라보게 합니다. 불꽃이 어떻게 생겼는지, 불꽃에서 좀 더 바깥쪽은 어떻게 보이는지, 안쪽은 어떤 모양인지 등, 모든 세부 사항까지 주의 깊

게 관찰하게 합니다. 불이 꺼진 후에는 성냥 끝이 까맣게 된 채 남습니다. 바로 거기에서 어떻게 성냥에 불이 붙었는지 말하기 시작합니다. 마찰로 인해 열기가 생겨나 뜨거워지면 성냥에 불이 붙는다는 등. 이런 방식으로 어떤 주제든 생활에 연결해야 합니다.

09. 　지레에 관한 것을 가르칠 때 보통 물리학 책에 쓰여 있듯이 말하면서 수업을 시작해서는 안 됩니다. "지레는 막대를 이용해 힘을 전달하는 도구다. 막대를 받치고 있는 지점을 받침점, 한쪽에 힘을 가하는 지점을 힘점, 다른 쪽에 얹혀진 물체의 힘이 작용하는 지점을 작용점이라 한다" 우리는 이런 식으로 하지 않고 저울에서 출발합니다. 저울로 물건을 달아 파는 가게에 있다고 상상하게 합니다. 거기에서 균형으로 넘어가고, 그 다음에 무게와 중력의 개념으로 넘어갑니다. 물리학의 어떤 주제든 일상생활을 바탕으로 발달시킵니다. 이는 화학적 현상에서도 마찬가지입니다.

10. 　일상생활에서 출발해서 물리학적 현상, 광물학적 현상 등의 개별 사항을 고찰하기, 이것이 바로 본질입니다. 이와 다르게 수업에서 추상성을 출발점으로 삼으면, 굉장히 특이한 현상이 일어납니다. 그렇게 하면 아이들은 수업으로 인해 금세 피곤해합니다. 일상

생활에서 출발해서 주제를 다루면 피곤하지 않습니다. 추상성에서 출발하면 아이들은 금세 피곤해합니다.

11.   아이를 절대 피곤하게 만들지 않는다! 이것이 수업의 황금률입니다. 오늘날 실험 교육학이라 불리는 것이 있습니다. 이 교육학은 참으로 기이합니다. 실험 교육학을 통해 언제 아이가 정신적 활동으로 인해 피곤해하는지 규명했습니다. 아이를 피곤하게 만들지 않으려면 어느 정도 시간 동안 한 가지 주제를 다루어야 하는지 그 실험을 근거로 추론했습니다.

12.   이는 철저히 잘못된 생각입니다! 왜냐하면 여러분도 잘 알다시피 사실은 완전히 다른 모양을 띠고 있기 때문입니다. 여러분이 제 저술물 중에 특히 정기 간행물에 실린 일련의 논설을 엮은 책 『영혼의 수수께끼에 관하여』에서 다음 내용을 참조할 수 있습니다. 인간은 세 부분으로 되어 있습니다. 신경-감각 인간이 있습니다. ─ 다시 한번 간단히 짚어 보려는 의도일 뿐입니다.─ 이는 인간이 활동하도록 정신적으로 받쳐 주는 모든 것입니다. 그 다음에 리듬 인간이 있습니다. 모든 호흡 리듬과 혈액 순환 등이 포함됩니다. 그리고 세 번째로 질료를 통해 변화되는 모든 것을 포함하는 신진 대사-사지 인간이 있습니다.

13.　태어나서 이갈이를 할 때까지 아동 발달을 주시해 보면 그 시기 아이는 주로 머리 조직입니다. 그 시기의 아이에게서 작용하는 것은 주로 신경-감각 조직입니다. 인생의 첫 시기에 인간은 머리를 중심점으로 삼아 발달한다는 의미지요. 여러분이 그저 정확하게 주시해야 할 뿐입니다. 아직 태어나지 않은 인간, 태아를 한번 보십시오. 머리가 엄청나게 큽니다. 유기체의 다른 모든 부분은 아직 쪼그라든 듯한 모양으로 머리에 붙어 있을 따름입니다. 아기가 태어납니다. 외적으로 보자면 머리가 아직도 엄청나게 큰 상태에 있습니다. 그리고 머리를 중심으로 전체적인 성장이 시작됩니다.

14.　7~14세 아이는 더 이상 그렇지 않습니다. 이갈이와 사춘기 사이에는 호흡-리듬, 혈액-리듬, 그러니까 전체 리듬 체계가 주도합니다. 오로지 리듬입니다!

15.　그런데 리듬은 과연 어떤 종류입니까? 연구를 많이 해야 하기 때문에 생각을 굉장히 많이 한다고 합시다. 그러면 피곤해집니다. 머리가 피곤해지는 것이지요. 많이 걸어 다녀야 할 일이 있다고 합시다. 그러니까 유기체의 사지가 일을 많이 해야 합니다. 그런 경우에도 피곤해집니다. 머리 유기체, 즉 신경-감각 유기체와 신진대사-사지 유기체는 피곤해질 수 있습니다. 반면

리듬 유기체는 절대로 피곤해하지 않습니다.

16.   여러분이 하루 종일 호흡을 해야 한다는 점을 한번 생각해 보십시오. 심장은 밤에도 박동합니다. 심장은 태어나서 죽을 때까지 박동을 절대 멈춰서는 안 됩니다. 한순간의 멈춤도 없이 그 리듬을 계속해서 이어가야 합니다. 절대 피곤해져서는 안 되고, 절대 피곤해지지 않습니다.

17.   여러분은 교육과 수업에서 인간을 지배하는 바로 그 체계에 의존해야 합니다. 이갈이와 사춘기 사이의 아이를 교육할 때 그림을 이용하되 리듬 체계에 의존해야 한다는 말이지요. 여러분이 수업에서 가르쳐야 할 모든 것을 구성하는데, 아이의 머리는 가능한 한 적게 관여하고, 심장을 위시한 전체 리듬 체계, 즉 예술적이고 리듬적인 모든 것이 관여하는 방향으로 해야 합니다. 그 결과는 무엇입니까? 그렇게 수업을 하면 아이들이 절대로 피곤해하지 않습니다. 왜냐하면 머리 체계가 아니라 리듬 체계에 맞춰서 일하기 때문입니다.

18.   물질주의 시대의 사람들은 이루 말할 수 없이 똑똑합니다. 그래서 수업과 수업 사이에 아이들이 바깥에서 뛰어놀아야 좋다는 생각도 할 줄 알게 되었습니다. 아이들이 바깥에서 놀이를 한다면 당연히 좋은

일입니다. 왜 그렇습니까? 그렇게 뛰어놀면서 체험하는 영적인 면 때문에, 달리 말해 아이들이 즐거워하기 때문에 좋습니다. 그런데 수업을 올바르게 하기만 하면 아이들이 바깥에서 뛰어놀 때보다 덜 피곤해한다는 사실을 실험을 통해 발견했습니다. 사지를 움직이면 피곤해집니다. 그에 반해 올바른 방식으로 가르치면 아이를 절대 피곤하게 만들지 않습니다. 여러분이 그림을 더 많이 제시하고 더 생생하게 설명할수록, 지성을 덜 혹사시킬수록 리듬 체계를 더 많이 요구하는 것이고, 결과적으로 아이를 덜 피곤하게 만듭니다. 실험 심리학자가 검사를 통해서 아이가 얼마나 심하게 피곤해하는지 알아냈다면, 그들은 과연 무엇을 검사한 것입니까? 여러분이 얼마나 형편없이 나쁜 수업을 했는지! 올바르게 수업을 했다면, 심리학자는 여러분의 반 아이들에게서 피곤한 기색을 조금도 찾아보지 못할 것입니다.

19.　　두 번째 7년 주기의 아이를 가르칠 때는 오로지 리듬 체계에 호소해야 한다! 바로 이 사실을 주지하십시오. 적절한 방식으로 일을 시키면 절대로 피곤해지지 않고 절대로 힘들어 하지 않는 리듬 체계, 이 리듬 체계에 지성은 필요치 않습니다. 상상력에서 솟아나는

그림을 필요로 합니다. 바로 그런 까닭에 무조건 상상력이 교실의 모든 것을 관장하도록 해야 합니다. 두 번째 7년 주기의 마지막 부분, 즉 만 11세 8개월에서 14세까지도 죽은 것을 상상력으로 생생하게 만들어야 하고, 일상생활에 연결해야 합니다! 모든 물리학적 현상을 생활에 연결할 가능성을 당연히 얻을 수 있습니다. 그렇게 하기 위해서는 상상력이 있어야 할 뿐입니다. 필수적인 것은 바로 상상력입니다.

20.　　　이제 다른 수업을 보기로 합시다. 무엇보다도 글짓기라 부르는 수업에서, 달리 말해 아이들이 스스로 어떤 주제에 관해 글을 써야 하는 경우 특히 상상력이 주도하도록 해야 합니다. 여러분이 학급 아이들에게 글짓기를 시킬 때 명심해야 할 사항이 있습니다. 사전에 상세하고 정확하게 설명하지 않아서 아이들이 아직 잘 모르는 주제에 대해서 글짓기를 시켜서는 안 된다는 것입니다. 여러분이 교육자의 권위를 근거로 사전에 글짓기 주제에 관해 이야기해 주어야 합니다. 아이들이 교사의 이야기에 감동을 받아 글짓기를 하는 식이 되어야 합니다. 사춘기에 들어서기 전 마지막 몇 해 동안 이 방법을 절대 도외시해서는 안 됩니다. 사춘기 아이들 역시 사전 준비 없이 막무가내로 글짓기를 시켜

서는 안 됩니다. 선생님의 이야기를 듣고 생겨난 분위기에 잠겨 있도록 하지 않는 것은 절대 글짓기의 주제가 될 수 없다는 느낌을 아이 내면에 일깨워야 합니다. 거기에도 생동감이 지배해야 합니다. 교사의 생동감은 아이에게 건너가도록 되어 있습니다.

21.　　제가 지금까지 이야기한 것에서 볼 수 있듯이 수업과 교육 전체를 일상생활에서 건져 내야 합니다. 오늘날 사람들은 이 점을 자주 입 밖에 내기는 합니다. 주제가 실재에 걸맞아야 하고 생동감 있게 수업해야 한다고 말하지 않습니까? 그런데 그렇게 하려면 먼저 무엇이 실재에 상응하는지, 그에 대한 느낌을 정말로 체득해야 합니다. 훌륭한 교육 원칙을 이론적으로 신봉하는 사람이 어떻게 실전에서 자주 실패하고 마는지, 제가 직접 경험한 일을 예로 삼아 여러분께 분명히 보여 주고 싶습니다.

22.　　언젠가 어떤 학급에 들어갔습니다. 어느 학교인지는 이 자리에서 밝히고 싶지 않습니다. 제가 그 반에 들어갔을 때 마침 교사가 산수 문제를 내고 있었습니다. 인생에 더하기를 연결해야 한다는 생각으로 다음과 같은 문제를 냅니다. $14\frac{2}{3}$, $16\frac{1}{6}$, $25\frac{3}{5}$ 등의 수를 그대로 더하지 않고, 인생에서 일어나는 어떤 것에 연결

해야 한다는 것이지요. 그 산수 문제는 대략 다음과 같은 방식이었습니다. "어른 세 명이 있다고 하자. 그중 한 사람은 1895년 3월 25일에 태어났다. 다음 사람은 1898년 8월 27일에, 세 번째는 1899년 12월 3일에 태어났다. 이 사람들의 나이를 모두 합치면 몇 살인가?" 이런 문제를 냈습니다. 그 다음에 정말로 진지하게 다음과 같은 방식으로 계산했습니다. "1895년부터 1924년까지는 $29\frac{3}{4}$년이다. 그러니까 1895년에 태어난 사람은 현재 만 $29\frac{3}{4}$세다. 그 다음 사람은 대략 $26\frac{1}{2}$세다. 그리고 세 번째는 한 해가 다 끝나가는 12월에 태어났으니까 대략 25세라고 하자." 이 숫자를 모두 더하면 그 사람들 나이를 모두 합친 게 몇 살인지 알아낼 수 있다고 말하는 것이었습니다.

23.　　　저는 정말로 한 가지를 물어보고 싶습니다. 어떻게 그 사람들 모두 특정 양으로 함께 늙도록 할 수 있는지? 그런 것이 어떻게 가능합니까? 물론 그 사람들의 나이는 숫자일 뿐이고, 아무 문제없이 합산할 수 있습니다. 하지만 과연 그 합계가 실재 속 어딘가에 박혀 있는지, 이 질문에 어떻게 대답할 수 있습니까? 세 사람 모두 동시대에 살고 있습니다. 그중 한 사람이 다른 두 사람의 인생을 차례대로 산다는 것은 불가능합

니다! 이런 산수 문제를 내다니, 이는 절대 실생활에서 나올 수 없는 종류입니다.

24.　　　나중에 누군가가 그것이 산수 교과서에 나온 문제라고 제게 말했습니다. 그래서 그 교과서를 한번 들여다보았더니, 그 문제뿐 아니라 그런 식으로 기지에 찬 내용들이 적잖게 실려 있었습니다.

25.　　　저는 몇몇 지역에서 이런 것이 인생에 반작용하는 것을 보았습니다. 이 사실이 가장 중요합니다.

26.　　　우리가 학교에서 가르치는 내용은 인생에 반작용합니다! 우리가 학교에서 제대로 가르치지 않으면, 실재가 전혀 아닌 것을 셈하기에 집어넣으면, 아이들은 그런 사고방식을 수용해서 인생에 들여갑니다. 이곳 영국에서도 그렇게 하는지 모르겠습니다만 중유럽에서는 여러 명의 범죄자를 모아서 한꺼번에 재판을 합니다. 그러면 다섯 명의 범죄자가 총 75년 6개월의 징역형을 선고받았다는 기사가 가끔씩 신문에 실립니다. 한 명은 10년 형을, 다른 한 명은 20년 형을 받았다면서 그 햇수를 모두 합산하는 것이지요. 신문에서 그런 것을 심심찮게 발견할 수 있습니다. 그런데 그런 식의 합계가 실재의 차원에서 과연 어떤 의미가 있는지 저는 알고 싶습니다. 일정 정도의 징역형을 선고받은 범죄자

각자에게 그 75년이라는 합계는 아무 의미도 없습니다. 범죄자들 모두 이전에 이미 형을 마치고 출소하기 때문에, 그들 모두를 고려해 보아도 그 숫자는 아무 의미가 없습니다. 네, 그런 식의 합산은 실제로 전혀 존재하지 않습니다.

27.   보다시피 어떤 주제든 실재성에서 출발하는 것이 중요합니다. 앞서 말한 교사처럼 실제로는 도저히 있을 수 없는, 인생에서 절대 불가능한 더하기 문제를 낸다면, 여러분은 아이들을 독살하는 것입니다.

28.   여러분은 아이들이 인생에서 실제로 일어나는 것만 생각하도록 지도해야 합니다. 그렇게 하면 수업에서 배운 실재를 인생에 들여갑니다. 오늘날 우리는 실재에 전혀 상응하지 않는 사고로 끔찍한 고통을 당하고 있습니다. 교사는 반드시 이 사실을 염두에 두고 숙고해야 합니다.

29.   우리 시대에 유명한 이론 한 가지가 있습니다. 그 이론을 창안한 사람은 굉장히 똑똑하다고 정평이 나 있지만, 그 이론은 순전한 교육의 산물입니다. 그것은

상대성 이론입니다. 아인슈타인[12]이라는 이름과 연결되는 이 이론에 대해 여러분도 조금 들었을 테지요. 이 이론의 많은 것이 옳습니다. 제 의도는 이 이론의 정당성을 문제 삼으려는 것이 아닙니다. 단 상대성 이론이 다음과 같은 방식으로 확장된다는 점을 유의하고 싶을 따름입니다. 어떤 지점에서 대포를 쏘았다고 합시다. 그리고 다음과 같이 말합니다. "여기에서 이만큼 떨어진 곳에서는 이만큼 시간이 지난 후에 대포의 폭음을 듣는다. 사람이 가만히 서 있지 않고 소리와 함께 움직이면, 그러니까 소리와 같은 방향으로 가면 폭음을 조금 나중에 듣는다. 시간이 좀 지난 후에 대포 소리를 듣는다. 그리고 사람이 그곳에서 더 빨리 더 멀리 가면 그 대포 소리를 더 나중에 듣는다. 그와는 반대로 그 소리를 향해서 가면, 그 소리를 점점 더 일찍 듣게 된다."

30. 이제 이 생각을 여기서 멈추지 않고 계속해 봅시다. 그러면 한 가지 사고 가능성에 도달합니다. 그런데 그것은 실재하는 가능성이 절대 될 수 없습니다. 사람

---

12 Albert Einstein(1879~1955)_ 1905년에 특수 상대성 이론을, 1915년에 일반 상대성 이론을 창안했다.

이 소리를 향해 점점 더 빨리 갑니다. 그런데 소리보다 더 빨리 갑니다. 이 상태를 끝까지 생각해 보면, 다음과 같이 말해야 합니다. "대포를 쏘기 전에 이미 소리를 들을 가능성 역시 있다!"

31. 　실재에 상응하지 않는 사고에서 도출된 이론이 그런 생각을 하도록 유도합니다. 실재 안에서 올바르게 생각할 수 있는 사람은 엄청난 고통을 자주 견뎌야 합니다. 아인슈타인의 저서에는 시계를 광속으로 우주 공간에 집어 던지면 그것이 어떻게 다시 돌아오는지 서술되어 있습니다. 시계가 광속으로 우주 공간 저 멀리 날아갔다가 다시 돌아오면 그 시계에 무슨 일이 벌어지는지 설명합니다. 그런데 저는 광속으로 우주 저 바깥으로 날아갔다가 돌아온 시계가 과연 어떤 상태인지 바로 지금, 이 순간에 실제로 보고 싶습니다. 사고를 하면서 절대로 실재를 벗어나지 않는다! 이것이 중점입니다.

32. 　실재에서 거리가 먼 것이 너무 많다는 데에 교육의 근본적인 폐해가 있습니다. 오늘날 모범적인 유치원에서 실시하는 아주 많은 것이 그 폐해를 근간으로 삼습니다. 유치원에서 어린아이가 해야 할 것을 고안해

냈습니다.**13** 사실 어린아이는 인생을 모방하면 되지, 다른 활동은 할 필요가 없습니다. 심지어는 놀 때도 그렇습니다. 고안해 낸 모든 종류의 유아용 교육 자료는 그야말로 악입니다. 놀이에서도 아이들은 생활의 모방인 것만 해야 합니다. 이는 믿을 수 없을 정도로 엄청나게 중요합니다.

33.　　바로 그래서 어린아이에게 정교하게 완성된 장난감을 주어서는 안 됩니다. 인형이나 장난감은 아이의 상상력을 위해 가능한 한 많은 부분을 미완성으로 남겨 두어야 합니다. 이는 커다란 의미가 있습니다.

34.　　일상생활에 어떤 식으로든 연계되지 않는 것은 절대 수업과 교육에 속하지 않습니다. 여러분은 이 사실을 주시하고 명심해야 합니다. 저는 이 점을 특히 강조하고 싶습니다. 아이에게 어떤 것을 묘사하도록 시킬 때도 반드시 이 점을 고려해야 합니다. 아이가 실생활을 벗어나고 있다면 지체 없이 주의를 주어야 합니다. 이성은 상상력만큼 실재 속으로 깊이 파고들지 못합니다. 상상력은 오류를 범할 수 있기는 해도, 실재 속에

13　프리드리히 프뢰벨Friedrich Fröbel(1782~1852)_ 유치원의 창시자로 알려진 독일의 교육학자. 유아를 위한 놀이와 교육 교재를 고안했다.

파고듭니다. 그에 반해 이성은 언제나 표피에 들러붙어 있습니다. 바로 그런 까닭에 교사가 현실감을 가지고 교단에 선다는 것은 교사 스스로를 위해서 이루 말할 수 없이 중요합니다. 발도르프학교에는 전체 수업의 영혼으로서 교사 회의가 있기 때문에 교사가 현실감을 가지고 교단에 설 수 있습니다. 교사 회의에서는 누구나 자기 학급에서, 그리고 학급 아이들 모두에게서 배운 것을 다른 교사와 함께 나누고 토론합니다. 그렇게 함으로써 어떤 교사든 다른 교사에게서 배울 수 있습니다. 이런 방식으로 교사 회의나 단합체가 가장 중요한 요소가 아닌 학교는 절대로 활기에 찬 조직으로 남을 수 없습니다.

35.   교사 회의에서 실제로 굉장히 많은 것을 배울 수 있습니다. 발도르프학교에는 남자아이들과 여자아이들을 한 반에서 가르칩니다. 여자아이가 더 많은 반도 있고 남자아이가 더 많은 반도 있습니다. 숫자가 거의 비슷한 반도 있습니다. 남자아이들과 여자아이들이 서로 무슨 이야기를 하는지, 혹은 의식적으로 서로 어떤 의견을 나누는지 등을 완전히 도외시한다 해도, 그런 반들 사이에 존재하는 한 가지 차이는 분명히 알아볼 수 있습니다. 제가 몇 년 동안 그 점을 염두에 두고 쭉

주시해 왔는데, 예외 없이 언제나 증명된 게 하나 있습니다. 남자아이에 비해 여자아이가 더 많은 반은 어찌된 까닭인지 완전히 다르다는 것입니다.

36.   남자아이보다 여자아이가 더 많은 반의 교사는 상대적으로 덜 피곤해한다는 것을 곧바로 알아볼 수 있습니다. 여자아이들은 남자아이들에 비해 이해력이 더 낫기도 하지만 배움에 훨씬 더 열정적이기 때문입니다. 물론 이 외에도 수많은 차이가 더 있습니다. 무엇보다 특이한 점은 남자아이들은 소수일수록 더 쉽게 배우는 반면에 여자아이들은 소수일 경우 오히려 이해력이 떨어진다는 것입니다. 함께 어떤 주제를 나누고 토론하거나 다루어서 생기는 차이가 아니라 이유를 알 수 없는, 측정할 수 없는 차이들이 굉장히 많습니다.

37.   이 모든 것을 예의 주시해야 합니다. 학급 전체에 관한 것뿐 아니라 개별 아동에 해당하는 문제도 교사 회의에서 충분히 다룹니다. 그래서 어느 교사든 특이한 성격의 아이를 개별적으로 주시할 가능성을 얻습니다.

38.   발도르프학교 교육 방법론에서 어려운 점은 수업을 할 때 아이들과 진정한 의미에서 진도를 더 나가기 위해 일반 학교보다 훨씬 더 많이 생각해야 한다는

것입니다. 왜냐하면 가르쳐야 할 것을, ─ 그뿐 아니라
제가 이 자리에서 이야기한 것 모두 그렇게 해야 한다
고 전제합니다.─ 바로 아이들 나이에서 읽어 내서 수
업해야 하기 때문입니다.

39.　　　다음과 같은 예를 한번 생각해 보십시오. 9세나
10세 아이를 별생각 없이 낙제시킵니다. 결과적으로
그 아이는 다음 해에 자기 나이에 맞지 않는 것을 배워
야 합니다. 그래서 발도르프학교는 어떤 상황이든, 심
지어는 아이가 수업 목표를 충족시키지 못했다 해도
낙제는 시키지 않습니다. 아이를 낙제시켜서 한 학년
을 반복시키는 것보다 편한 일은 아닙니다. 그래도 낙
제시키지 않습니다. 그 대신 한 가지 교정 수단이 있습
니다. 우리 학교에서는 인지 능력이 굉장히 낮은 아이
들, 그러니까 정신적 능력이 평균 이하인 아이들을 따
로 모아서 가르칩니다. 이 방면에 특별한 사명감과 출
중한 능력이 있는 카를 슈베르트 박사[14]가 그 반을 가
르칩니다.

40.　　　일반 학급에서 어떤 식으로든 인지 능력이 조금

14　Karl Schubert(1889~1949)_ 1920년 루돌프 슈타이너가 발도르프학
　　교 특수반 담당 교사로 임명했다.

떨어진다고 판단되는 아이도 일시적으로 그 반에 들어갑니다. 우리가 감당할 수 없을 만큼 학생 수가 많기 때문에 인지 능력이 모자라는 아이들을 위한 반을 더 개설할 수 있는 상황은 아닙니다.

41. 　　우리 학교에서는 이미 이야기한 대로 낙제시키지 않고 어떤 상황이든 함께 학년을 올라가도록 해서 아이가 자기 나이에 맞는 것을 정말로 발견할 수 있도록 지도합니다.

42. 　　중등부 이상, 그러니까 8학년부터는 함께 진도를 나갈 능력이 없는 아이도 있습니다. 8학년을 마친 후 학교를 떠나야 하는 아이에게는 수업 전체의 근간을 통해 두 가지 방향으로 실생활에 상응하는 세계 감각을 가르치도록 노력합니다. 한편으로는 자연 과학과 역사 수업을 구성하는데, 아이가 결과적으로 인간 본질에 대한 특정 인식을 얻을 수 있도록 합니다. 달리 말하자면 인간이 이 세상에서 어떤 위치를 차지하고 있는지 대략적으로 알 수 있도록 수업을 합니다. 때문에 우리는 인간학을 모든 수업의 기준으로 삼아야 합니다. 7~8학년 아이에게, 달리 말해 13~14세 아이에게 인간학에 대한 일종의 완성을 진정한 의미에서 가르칠 수 있어야 한다는 것입니다. 그렇게 함으로써 그때까지 배

운 모든 것을 통해 어떤 종류의 법칙성과 힘, 질료가 인간 자체에 관여하는지, 어떻게 인간이 세상의 모든 물리적, 영적, 정신적인 것과 연결되어 있는지 등에 대해 생각할 가능성이 생깁니다. 물론 아이들 나름의 방식이긴 해도 그렇게 함으로써 전체 우주 내에서 과연 인간은 무엇인지 알게 됩니다. 이것이 우리가 8학년까지 아이들과 함께 도달하고자 노력해야 할 사항 중 하나입니다.

43.   다른 한편으로 우리는 아이가 실생활을 이해할 수 있도록 지도해야 합니다. 오늘날 실제로 그렇지 않습니까? 사람들 대부분은, 특히 도시에서 태어나 자란 사람들은 어떤 종류의 재료가, 예를 들어서 종이의 재료나 질료가 과연 어떻게 생겨나고 제조되는지 등에 대해 아무것도 모릅니다. 모든 사람이 종이를 이용하고, 종이에 글을 씁니다. 그런데 종이가 어떻게 제조되는지는 모릅니다. 모든 사람이 옷을 입고 다닙니다. 그런데 그 옷이 어떻게 생산되는지는 모릅니다. 신고 있는 가죽 신발이 어떻게 만들어지는지 모릅니다.

44.   맥주를 좋아하고 즐겨 마시기는 해도, 그것이 어떻게 생산되는지 모르는 사람들이 얼마나 많은지 한번 생각해 보십시오. 근본적으로 이런 것은 정말 끔찍

한 현상입니다. 물론 이 방향에서 모든 것을 다룰 수는 없습니다. 그래도 가능한 한 많은 종류를 다루도록 노력함으로써 다양한 산업 부문에서 어떤 것이 어떻게 생산되는지 아이가 대략적으로는 알 수 있도록 해야 합니다. 실생활에 속하는 일을 떠맡아 처리할 수 있을 정도로 가르쳐야 합니다.

45.　　　그렇게 하는 데에 심각한 난관 하나가 놓여 있습니다. 바로 오늘날 교육부가 아이들한테 들이대는 요구 사항을 실생활에 상응하는 교육과 조율해야 한다는 것입니다. 거기에서 가장 악의에 찬 경험을 하게 됩니다. 한 가지 예를 들자면, 우리 학교에서 2학년을 막 마치고 3학년에 올라간 아이 한 명이 부모의 상황으로 인해 전학을 했습니다. 그러자 사람들이 우리한테 이루 말할 수 없는 비난을 퍼부었습니다. 그 아이의 산수 실력이 일반 학교에서 요구하는 수준에 이르지 못했기 때문입니다. 산수뿐 아니라 읽기와 쓰기도 일반 학교의 요구 사항에 미치지 못했습니다. 그 아이가 잘할 수 있는 오이리트미, 미술, 음악 등으로는 자기들이 할 수 있는 게 아무것도 없다는 내용의 편지가 그 학교에서 왔습니다.

46.　　　네, 우리는 인간 인식에 따라 실생활에 맞추어

서 가르치면서도 일정 기간 내에 읽기, 쓰기, 산수 등을 일반 학교에서 요구하는 수준까지 올려놓아야 합니다. 오늘날 일반적으로 요구되는 수많은 것을 불가피하게 가르쳐야 한다는 의미지요.

47.   그런 까닭에 발도르프학교에서도 진정한 인간 인식에서 흘러나오지 않았다고 사료되는 많은 것을 어쩔 수 없이 가르쳐야 합니다. 그럼에도 불구하고 우리는 실생활에 가까운 것을, 인생에 가까운 것을 가르치고자 될 수 있는 대로 많이 노력합니다.

48.   이런 의미에서 저는 가능했다면 제화공製靴工을 교사로 채용하고 싶었습니다. 오늘날 요구 사항을 따르자면 그런 것은 교습 계획에 포함되지 않기 때문에 할 수 없었습니다. 아이가 자기 신발을 한 번쯤은 직접 만듦으로써 이론이 아니라 손놀림에서 실질적으로 제화를 배울 수 있도록 하기 위해 처음부터 발도르프학교 교사진에 제화공이 한 명은 있기를 바랐습니다. 그러나 교육부와 얽혀 있는 일이라 그렇게 할 수 없었습니다. 교사진에 제화공이 한 명쯤 있다면 인생을 위해서는 더 좋을 것입니다. 상황이 이렇다 해도 우리는 아이들을 실질적인 일꾼으로 만들고자 노력합니다.

그림25   그림26

49.　여러분이 발도르프학교를 방문하면, 아이들이 얼마나 아름답게 책을 제본하고 판지 공예품을 만드는지 볼 수 있습니다. 우리는 공예품을 정말로 예술적으로 만들 수 있도록 지도합니다. 우리 학교에서는 여성들이 많이 하는 공예를 가르치는데, 사람들이 일반적으로 사물을 다루는 식으로 하지 않습니다. 요즘 여성들이 입고 다니는 의복을 한번 관찰해 보십시오. 위에 옷깃을 보든, 몸 중간에 차는 허리띠를 보든, 아래 치맛단을 보든 아무 차이도 없습니다. 옷깃을 예로 보자면, 어떤 방식으로든 목 주변에 속하는 성격이 보이도록 만들 생각을 하지 않습니다.(그림25 참조) 제가 간단하게 도식적으로 그렸습니다. 허리에 차고 다니는 것에서 그 위와 아래에 어떤 것이 있다는 생각이 들도록 만들지 않습니다.(그림26 참조)

50.　우리 학교에서 아이들한테 방석 만들기를 가르

친다고 합시다. 그러면 우리는 절대로 위쪽과 아래쪽을 똑같은 모양으로 만들게 하지 않습니다. 어디가 아래쪽인지 분명히 알아볼 수 있는 방석을 만들도록 합니다. 그뿐만 아니라 방석의 왼쪽과 오른쪽도 분간할 수 있도록 합니다. 네, 학교에서 행하는 모든 것에 실생활이 영향을 미치면서 섞여 들어야 합니다. 아이들은 그런 수업에서 아주 많은 것을 배웁니다. 그렇게 함으로써 아이들이 실생활에, 인생 속에 자리 잡을 수 있게 합니다.

51.   우리는 모든 세부 사항에 이르기까지 그렇게 하고자 노력합니다. 예를 들어서 성적표도 그렇게 합니다. 아이의 능력을 수, 우, 미, 양, 가 점수로 평가하는데, 그런 것이 과연 무슨 의미가 있는지 인생을 통틀어 되돌아보아도 저는 이해할 수 없습니다. 영국에서도 아이가 할 수 있는 정도를 암시하는 숫자나 문자가 성적표에 쓰여 있습니까? 중유럽에서는 1, 2, 3, 4 숫자를 성적표에 기재합니다. 그런 성적표는 우리 학교에 없습니다. 우리 학교에서는 어떤 교사든 모든 아이를 잘 알고 있습니다. 그래서 교사는 성적표에 아이가 정말로 무엇을 할 능력이 있는지를 상술합니다. 아이들의 발표력과 능력, 발달 상태로 무엇을 할 수 있는지를 상술합니

다. 그리고 매년 아이마다 인생 잠언을 지어서 성적표에 써 줍니다. 그러면 그 잠언은 다음 학년 내내 그 아이를 인도하는 말이 됩니다. 성적표를 한번 봅시다. 가장 먼저 이름이 기재되어 있고, 이어서 인생 잠언이 적혀 있습니다. 그 다음에 교사의 설명이 옵니다. 어떤 상투적인 문자나 숫자를 이용하지 않고 아이가 어떤 성격을 지니는지, 개별 과목에서 얼마나 더 많이 배웠는지 자세하게 설명합니다. 성적표는 언제나 이런 식으로 상술됩니다. 아이들은 이런 성적표를 받으면 굉장히 기뻐합니다. 부모 역시 학교에서의 아이 상황에 대해 올바른 그림을 얻습니다.

52.　　우리는 학부모와 긴밀한 관계를 유지하는 데에 커다란 가치를 둡니다. 그렇게 하면 아이 상태를 통해서 집안 사정을 알 수 있습니다. 집안 사정을 잘 알면 아이를 이해할 수 있을 뿐 아니라 아이의 특이한 성격을 어떻게 다루어야 할지도 알 수 있습니다. 어떤 아이한테 한 가지 특성이 있다고 합시다. 학급의 다른 아이에게도 그와 유사한 특성이 있다는 것을 알아봅니다. 그렇다고 해도 그 두 아이의 특성은 동일하지 않습니다. 똑같은 특성이라 해도 그것이 의미하는 바는 아이마다 다릅니다.

53.　　예를 들어 어떤 아이에게 흥분하는 성향이 있다고 합시다. 다른 아이에게도 흥분하는 성향이 있습니다. 그런 경우 흥분한 아이를 자제시키기 위해 어떤 조처를 한다고 해서 문제가 해결되지는 않습니다. 전자의 경우에는 아버지가 집에서 자주 흥분하는 것을 보았고, 그래서 아버지를 모방합니다. 후자의 경우에는 심장이 좋지 않아서, 그러니까 심장병이 있어서 흥분합니다. 중점은, 교사가 이런 구체적인 사실을 알고 있어서 언제나 아이의 성격 저변에 놓인 것을 고려하면서 상황을 다룰 수 있어야 한다는 것입니다.

54.　　바로 그렇게 하기 위해서 교사 회의가 존재합니다. 인간을 진심으로 연구하기 위해서, 그로써 인간학에 정통하게 되어 한 가지 흐름이 지속적으로 학교를 관류하도록 하기 위해 교사 회의가 있습니다. 교사 회의에서 다같이 학교를 연구합니다. 그렇게 하면 필요한 다른 것이 저절로 생겨납니다. 기본은, 교사 회의가 장기간 지속되는 배움의 터전이 되어야 한다는 것입니다.

55.　　이것이 바로 실질적인 조직을 위해 여러분께 제시하는 전제 조건입니다.

56.　　이 강의를 여러 주에 걸쳐 할 수 있다면 당연히 더 많은 것을 논의할 수 있을 테지요. 사정이 허락되지

않으므로 내일 다시 모이면 여러분 마음에 품고 있는 것을 질문하기 바랍니다. 그러면 제가 답을 하는 식으로 내일 시간을 이용하겠습니다.

질의응답[15]

1924년 8월 20일

곱하기와 나누기의 차이
산수는 구체적인 것에서 추상적인 것으로
그리기 수업에 관하여
라틴어와 그리스어 수업
스포츠에 관하여
종교 수업
외국어 선택에 관하여
이갈이 하기 전 언어 수업

---

15 교사들의 질문지가 사전에 전달되었다.

7~14세를 위한 교육 예술

질문 1: 발도르프학교의 산수 수업 방법론에서 곱하기와 나누기 사이에 실제로 차이가 있습니까? 아니면 저학년에서는 그 양자를 전혀 구분할 필요가 없는지요?

01.　　이런 질문이 생기는 이유가 있습니다. 곱하기를 가르칠 때 아이들에게 적수를, 그러니까 곱한 결과를 알아내도록 해서는 안 되고, 적수와 피승수被乘數를, 즉 곱한 결과와 인수 하나를 제시하고 다른 인수를 알아내도록 해야 한다고 말했기 때문입니다. 그렇게 하면 물론 보통의 의미에서 나누기를 해야 합니다. 사람들은 일반적으로 그런 것을 나누기라고 생각합니다. 제가 한 말을 있는 그대로 받아들이지 않으면 그에 완전히 상응해서 나누기를 다음과 같은 식으로 이해합니다.

02.　　"하나의 합을 특정 방식으로 나누면 그 부분은 얼마가 되는가?" 이렇게 말한다면, 다음과 같은 질문을 다른 방식으로 이해한 것일 뿐입니다. "특정 수를 얻기 위해 하나의 수를 어떤 수와 곱해야 하는가?"

03.   그러니까 질문의 초점을 나누기에 맞추면 나눗셈에 관한 문제가 됩니다. 질문의 초점을 곱하기에 맞추면 곱셈에 관한 문제가 됩니다. 사고에 있어 곱하기와 나누기 사이에 존재하는 내밀한 유사성, 바로 그것이 여기에서 확연히 드러납니다.

04.   나누기를 이해하기 위해서 실제로 두 가지 가능성이 있다는 것을 아이들에게 일찌감치 가르쳐야 합니다. 그중 한 가지 가능성을 제가 방금 암시했습니다. 하나의 전체를 일정 수의 부분으로 나누는 경우 그 부분이 얼마가 되는지 알아내는 것입니다. 전체에서 출발해서 부분을 찾는 방법이지요. 이것이 나누기를 하는한 가지 방법입니다.

05.   다른 방식은 부분에서 출발해서, 하나의 전체속에 부분이 몇 번 들어 있는지를 찾는 것입니다. 이 경우 나눗셈은 나누기가 아니라 측정하기, 재어 보기가됩니다. 나누기와 측정하기 간의 차이를 진부한 용어를 사용하지 않으면서 가능한 한 빨리 가르쳐야 합니다. 그렇게 함으로써 나눗셈과 곱셈이 오늘날 흔히 그렇듯이 형식상의 계산에 머물지 않고 실생활에 연결됩니다.

06.   여러분은 사실상 저학년 아이에게 표현 방식 자

체를 통해 나눗셈과 곱셈의 차이를 알아보도록 가르칠 수 있습니다. 그렇게 하면서 덧셈과 뺄셈의 차이에 비해 나눗셈과 곱셈의 차이가 근본적으로 훨씬 더 적다는 점도 넌지시 가르쳐야 합니다. 아이가 그런 것을 이해한다는 것은 실제로 계산 자체보다 훨씬 더 중요합니다.

07.　　　저학년에서는 아무 구분도 해서는 안 된다는 말이 아닙니다. 차이를 가르치되 제가 방금 여러분께 암시한 바와 같이 넌지시 해야 한다는 것이지요.

질문 2:　산수 수업에서 어느 연령대에 어떤 식으로 구체적인 주제에서 추상적인 주제로 넘어가야 합니까?

01.　　　이 질문은 다음과 같이 생각해야 합니다. 먼저 산수의 모든 주제가 구체적인 것에 머물도록 노력합니다. 다른 무엇보다 9, 10세가 될 때까지는 추상적인 주제를 완전히 배제해야 합니다. 그 나이가 될 때까지는 가능한 한 구체적인 것만 다루어야 합니다. 될 수 있는 대로 모든 것을 실생활에 연결해야 한다는 의미입니다.

02.　　　저학년에서 약 2년에서 2년 반 동안 추상적인 숫

자를 다루지 않고 구체적인 사실을 셈하기로 가르칩니다. 그렇게 하고 나면 굉장히 쉽게 추상적인 주제로 넘어갈 수 있다는 것을 경험하게 됩니다. 수를 그런 방식으로 다루면 숫자가 생생하게 살아 있다는 느낌이 아이 내면에 생겨납니다. 그래서 덧셈, 뺄셈 등 구체적인 산수에서 추상적인 산수로 굉장히 쉽게 넘어갈 수 있습니다.

03.   요점은, 구체적인 주제에서 추상적인 주제로 넘어가는 시점을 가능한 한 제가 말한 연령대인 9~10세로 미룬다는 것입니다.

04.   산수에서 구체적인 주제에서 추상적인 주제로 넘어가는 데에 커다란 도움이 되는 것은 일상생활에서 긴요하게 계산을 해야 하는 경우입니다. 일상생활에서 언제 계산해야 합니까? 바로 돈을 지불해야 할 때지요. 이런 면에서 보아 여기 영국은 바다 건너 대륙에 사는 우리보다 좀 유리한 상황입니다. 대륙에서는 모든 방면에서 십진법을 이용합니다. 화폐와 관련해 영국에는

십진법보다 마음에 드는 제도**16**가 아직 있습니다. 여러분도 그 제도를 마음에 들어 하는지 모르겠습니다. 만약 십진법에 비해 그 제도가 별로 좋지 않다고 생각하는 사람이 있다면, 저는 그 사람이 좀 병적이라고 생각할 것입니다. 여기서 중점은, 가능한 한 구체적인 숫자 체계가 화폐에 들어 있어야 한다는 것입니다. 이곳 영국에서는 아직도 12진법이나 20진법에 따라 돈을 지불합니다. 유럽 대륙에서는 이 화폐 지불 방식을 더 이상 이용하지 않습니다. 어떤 것을 측정할 때는 영국에서도 이미 십진법을 이용합니다. 그렇지 않습니까?

(강의 참석자 중에 한 명이 일상생활에서는 아니고 과학과 관련해서만 그렇게 한다고 대답한다.)

05.   그렇군요. 여러분은 어떤 것을 재거나 측정할 때도 더 나은 방법을 이용하는군요! 그런 모든 것이 실은

---

16 1파운드는 12실링, 1실링은 20펜스로 계산하는 전통적인 영국 화폐 제도. 1971년에 십진법으로 개정되었다. 12진법의 의미에 관해서는 『문명을 발달시킨 민족의 세계관과 인류 역사』(GA353)에서 1924년 3월 1일 강의 참조

구체적인 범위에 속합니다. 단 숫자를 쓸 때는 여러분 역시 십진법을 이용합니다.

06.　　이 십진법의 근거는 과연 어디에 있습니까? 십진법은 실제로 매우 자연스러운 데에 그 원천을 둡니다. 머리는 숫자를 만들어 내지 않습니다. 몸 전체가 숫자를 형성합니다. 머리는 그 수를 그저 반사할 뿐입니다. 정말 자연스러운 것은 숫자가 10이나 기껏해야 20까지만 있는 것입니다. 손가락이 열 개니까 먼저 10이라는 숫자가 생깁니다. 어쨌든 우리는 아이에게 일단 1부터 10까지 가르칩니다. 아이가 10까지 쓸 수 있게 되면 그 숫자를 구체적인 것으로 다루기 시작합니다.

07.　　예를 들어 '당나귀 두 마리'라고 씁니다. 여기서 당나귀는 구체적인 대상물입니다. 두 마리의 2는 숫자입니다. 개 두 마리라고 써도 상관없습니다. 이제 20을 쓴다고 합시다. 20은 10이 두 번 있다는 의미일 뿐입니다. 여기에서는 10을 구체적인 대상인 것처럼 다룹니다. 이런 식으로 계속 해서 이야기가 좀 어질어질해지기 시작하면, 그러니까 상황을 더 이상 조망할 수 없게 되면 숫자 자체를 구체적인 것으로 다루기 시작합니다. 그 다음에 숫자를 추상화합니다. 바로 이 과정에 우리의 숫자 체계가 기인합니다. 숫자가 무엇인지는 완

전히 차치하고, 일단 숫자 자체를 구체적인 것으로 다룬 후에 추상화하지 않으면 산수 수업에서 절대 진도를 나갈 수 없습니다. 100은 10의 10배입니다. 10 곱하기 10을 100으로 다루는지, 아니면 열 마리씩 무리지은 개들이 10무리 있어서 100마리라 하는지, 그 양자는 사실 똑같습니다. 한 번은 개가 100마리 있고, 다른 한 번은 100이라는 숫자가 구체적인 대상으로 있는 것이지요. 숫자 자체를 구체적인 것으로 다루기, 바로 이것이 계산의 비밀입니다. 그리고 여러분이 이 점을 염두에 둔다면, 실생활에서도 그런 전이가 일어난다는 것을 발견합니다. 10이 두 번 있다고 말하는 바와 마찬가지로 12가 두 번 있다고, 그러니까 두 다스가 있다고 말합니다. 단 10을 위해서는 다스와 같은 명칭이 없습니다. 십진법이라는 명칭 자체에 이미 그 전조가 내포되어 있기 때문입니다. 다른 모든 체계는 훨씬 더 구체적인 방식으로 양을 포괄합니다. 다스나 실링이 그런 종류지요. 한 실링은 얼마나 많은 양을 의미합니까? 영국에서 한 실링은 12펜스입니다.

08.   1실링은 상황에 따라서 30개가 되기도 합니다. 30개를 1실링으로 이해하는 것이지요. 제가 어렸을 적에 살았던 마을에는 중심가를 따라 양쪽으로 집들이

죽 늘어서 있었고 집 앞마다 호두나무가 서 있었습니다. 가을이 오면 남자아이들은 호두 따기에 여념이 없었습니다. 그렇게 딴 호두를 겨울 내내 보관했습니다. 학교에 오면 누가 얼마나 많이 땄는지 비교해 보고 권력 서열을 정하곤 했습니다. "난 벌써 5실링이나 땄어."라고 한 녀석이 말하면 다른 녀석은 "뭐? 겨우 5실링? 난 10실링 땄어!"라고 대들었습니다. 아이들은 구체적인 대상물을 고찰했습니다. 1실링은 30개를 의미합니다. 물론 동네 농부들은 아이들이 호두를 다 따기 전에 수확을 해야 했지요. 수확량을 위한 일종의 단위를 '호두 실링'이라 했습니다. 호두 실링에 법적 하자가 없었기 때문에 누구나 그것으로 거래를 했습니다.

09. 　　바로 그렇게 한 다스, 두 다스, 한 짝, 두 짝 등 구체적인 대상물과 연결해서 수를 이용함으로써 구체적인 것에서 추상적인 것으로 넘어가는 길을 발견할 수 있습니다. 보통 장갑 두 짝이라고 말하지 장갑 네 개라고 말하지 않습니다. 신발 네 개가 아니라 신발 두 켤레라고 합니다. 그런 식의 표현으로 구체적인 것에서 추상적인 것으로 넘어가는 이행 과정을 만들어 미리 연습시킬 수 있습니다. 그리고 아이가 9, 10세가 되면 비로소 추상적인 수로 넘어갑니다.

질의응답

질문 3: 언제, 어떻게 소묘 수업을 해야 합니까?

01.   소묘 수업은 문제를 조금은 예술적으로 조명해 본다는 데에 중점을 두어야 합니다. 소묘는 일종의 허위라는 사실을 반드시 염두에 두어야 합니다. 소묘란 과연 무엇입니까? 선으로 어떤 대상물을 그린다는 것을 의미합니다.

02.   그런데 선은 실재에 전혀 존재하지 않습니다. 실재에는 다음과 같은 것이 있습니다. 예를 들어 여기에 바다가 있다고 합시다.(그림27 참조) 바다를 색칠합니다.(초록색) 수평선 위로 하늘이 있습니다.

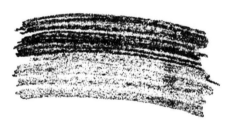

그림27

하늘도 색칠합니다.(파란색) **이렇게** 두 가지 색을 칠하면 아래에는 바다가, 위에는 하늘이 있습니다.(그림27 참조)

색이 서로 맞닿는 곳에 선이 저절로 생깁니다. 여기(그림 27의 수평선)에서 하늘이 바다에 맞닿는다고 말한다면, 실은 상당히 의미심장하게 추상화하는 것입니다. 그래서 실재를 그림으로 그릴 때는 색채를 이용해야 하거나, 그렇지 않다면 적어도 명암으로 그려야 한다는 것이 예술적 관점에서 가장 먼저 드는 느낌입니다.

03.   제가 얼굴을 그린다고 합시다.(얼굴 윤곽을 그린다. 그림 28 참조) 이 그림이 무엇을 보여 줍니까? 이런 것이 과연 존재합니까? 세상에 있습니까? 전혀 존재하지 않습니다. 실제로 존재하는 것은 바로 이런 것입니다.(사선으로 명암을 그린다. 그림29 참조) 명암으로 된 일정 모양의 면은

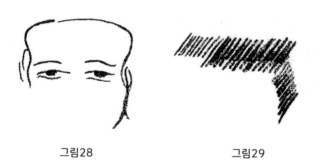

그림28   그림29

있습니다. 그리고 이런 것에서 얼굴이 나옵니다. 선으로 그린 얼굴 윤곽은 일종의 허위입니다. 그런 것은 전혀 존재하지 않습니다.

04.　　예술적 감각이 조금이라도 있다면, 존재하는 것을 흑백 명암이나 색으로 그려야 한다는 느낌이 듭니다. 그렇게 그리면 선은 저절로 생깁니다. 명암이나 색으로 드러나는 것, ─ 그러니까 색으로 된 면 사이에 저절로 생겨난 경계를 의미합니다.─ 그것을 따라가 보십시오. 그것이 바로 소묘적 선입니다.

05.　　소묘 수업에서 선으로 윤곽을 그리게 해서는 절대 안 됩니다. 색이나 명암으로 그리는 회화를 소묘 수업의 출발점으로 삼아야 합니다.

06.　　그래서 소묘 수업은 실재를 전혀 제시하지 않는다는 의식을 가지고 할 때만 실질적인 가치가 있습니다. 선을 이용한 묘사에 무게를 둔 것이 우리 사고 방식에 심각한 악영향을 미쳤습니다. 그로 인해 오늘날 시각적 표현에서 볼 수 있는 모든 것이 생겨났습니다. 끝없이 선을 긋고는, 그것을 빗살이라고 합니다. 그런 종류의 빗살이 과연 어디에 실제로 존재합니까? 그런 빗살은 아무 곳에도 없습니다. 실제로 존재하는 것은 그림입니다. 벽 어디엔가 구멍을 하나 뚫습니다. 그 구멍

으로 햇빛이 들어와 실내의 어떤 면에 그림이 생깁니다. 그런데 실은 실내에 있는 먼지에서 그림을 볼 수 있습니다. ─방에 먼지가 더 많을수록 빛이 가는 방향을 더 분명하게 볼 수 있습니다.─ 실내의 먼지에 빛이 반사되어 생기는 그림을 보는 것이지요. 사람들이 이른바 빗살이라고 하면서 그리는 선은 생각해 낸 것일 뿐입니다. 선으로 그리는 모든 것은 사람이 그저 생각해 낸 것입니다. 원근법을 가르치기 시작하면서 비로소 주시하기, 바라보기를 선으로 묘사하게 시킵니다. 원근법의 해명 방식에 이미 추상성이 내포되어 있기 때문입니다.

07.   말이나 개를 선으로 묘사하도록 시켜서는 절대 안 됩니다. 붓으로 면을 그리게 해야 합니다. 어떤 상황이든 선으로 윤곽을 그리게 시켜서는 안 됩니다. 개는 그런 윤곽을 지니지 않습니다. 개의 윤곽은 어디에 있습니까? 실제로 존재하는 것을 종이에 그리면 비로소 윤곽이 생겨납니다. 발도르프학교에는 아이들만 입학하지 않습니다. 교사들도 우리 학교에 들어오려고 합니다. 저 바깥 세상에서 교사로 일하는 수많은 사람들이 우리 발도르프학교에 채용되고 싶어합니다. 우리 학교가 더 마음에 들기 때문입니다. 실제로 최근에 정말로 많은 사람이 제게 왔고, 발도르프학교에서 가르치기

위해 교사 세미나 준비 과정에 참석했습니다. 교사 세미나에서 역사 교사나 언어 교사 등 과목 교사를 보면서 약간 놀랄 때가 있습니다. 제일 놀랍기로는 바로 미술 교사입니다. 미술 교사인데 예술 감각은 조금도 없는 기술을 자랑합니다. 예술 감각이 정말로 전혀 없습니다.

08.　　그에 따른 결과는 - 눈치보지 않고 모두 이야기 해야 하기 때문에 거명은 하지 않겠습니다. - 그런 미술 교사들과 대화를 나눌 수 없다는 것입니다. 그들은 비인간적이라는 느낌이 들 정도로 정서가 메마른 사람들입니다. 실재가 무엇인지에 대해 아무 개념도 없습니다. 그림 그리기를 직업으로 삼기 때문에 모든 실재에서 완전히 벗어나 버렸습니다. 그 사람들이 우리 발도르프학교에서는 전혀 가르치지 않는 방식의 그리기를 일반 학교에서 가르친다는 것은 도외시하겠습니다. 그 사람들과 대화를 한다는 자체가 끔찍했습니다. 선으로 그리면서 실재가 아닌 예술을 하는 사람들의 영혼 상태 역시 굉장히 기이합니다. 그 사람들은 혓바닥에 물기가 전혀 없습니다. 혓바닥이 언제나 바싹 말라 있습니다. 완전히 비실재인 것을 추구한다는 이유만으로 어떻게 사람이 차츰차츰 변해 가는지를 보면 정말 끔

찍하기 짝이 없습니다. 제시된 질문에 다음과 같은 말로 대답하고 싶습니다. "어떤 대상이든 선을 이용해서 윤곽으로 그려서는 안 되고, 가능한 한 항상 회화에서 출발해야 한다." 이것이 본질적입니다.

09.　　여러분이 오해하지 않도록 이 질문에 좀 더 명확한 설명을 덧붙이고 싶습니다. 그렇지 않으면 제가 미술 교사들에 대해 개인적으로 반감을 가지고 있다고 믿을 것입니다. 여기에 아이들 한 무리가 앉아 있다고 합시다. 제가 아이들한테 다음과 같이 말합니다. "이쪽에서 햇빛이 비쳐 든다고 하자. 햇빛이 여기에 있는 어떤 것에 내려 앉으면서 매우 다양한 종류의 광채가 사방에 생겨난다.(그림30을 그린다) 밝은 면이 보인다. 햇빛이 여기저기에 내려앉는다. 사방에 내리비친다. 햇빛이 그렇게 비쳐 들기 때문에 여기저기 사방에서 밝은 면이 보인다.(밝은 부분) 저쪽 구석에는 밝은 면이 없어서 어둡게 보인다.(파란색) 밝은 면 아래도 어둡게 보인다. 그런데 아주 조금 어둡다. 햇빛이 내리비치면 녹색처럼 보이는 부분도 있다. 그러니까 녹색으로 보이는 것도 있다. 여기는 햇빛이 비치면서 하얗게 보인다. 그런데 정말로 검은 그림자가 생기는 부분 바로 앞은 녹색처럼 보인다. 그리고 검은 그림자가 끝나는 부분도 좀 녹색

그림30

으로 보인다. 그 사이에 좀 모호하게 검은 부분이 그림
자로 있다. 이 부분에는 햇빛이 제대로 들어가지 않으
려는 듯이 보인다."

10.   여러분도 보다시피 저는 빛과 그림자에 관해서
만 말했습니다. 그리고 빛이 닿지 않는 곳이 있다고 했

습니다. 이렇게 나무 한 그루를 그렸습니다. 저는 빛과 색에 대해서만 말했습니다. 그렇게 하면서 나무를 그렸습니다. 사실 나무를 그릴 수는 없습니다. 기껏해야 빛, 그림자, 초록색을 그릴 수 있고, 가을에 사과가 익으면 빨간색이나 노란색을 여기저기 그려 넣을 수 있습니다. 언제나 색채와 빛, 그림자에 대해 말해야 합니다. 이렇게 실제로 존재하는 것에 관해서, 그러니까 색채, 빛, 그림자에 관해서만 말해야 합니다. 선으로 그리기는 기하학에서, 그리고 기하학과 연관된 과목에서 합니다. 그 과목은 선과 관계합니다. 기하학 자체가 사람이 생각해 낸 것이기도 하지요. 실재인 구체적 대상물은 펜을 이용해 선으로 그려서는 안 됩니다. 예를 들어서 나무는 명암이나 색에서 생겨나게 해야 합니다. 이것이야말로 실제로 삶 그 자체에 들어 있는 것입니다.

질문 4: 외국어를 가르칠 때 번역하지 않고 직접 가르칠 언어를 사용해야 한다고 했는데, 라틴어와 그리스어도 그렇게 가르쳐야 하는지요?

01.　　　이 방법에서 라틴어와 그리스어는 예외 사항입

니다. 라틴어와 그리스어는 일상생활에 직접 적용할 일이 없습니다. 이 언어들은 고어에 속하고, 오늘날에는 사실상 죽은 언어로만 존재하기 때문이지요. 그래서 라틴어와 그리스어를 가르칠 때는 ─ 실은 그리스어로 시작해서 라틴어로 넘어가야 합니다 ─ 특정 차원에서 보아 번역을 통한 수업 방식이 정당할 수 있습니다. 그렇지 않아도 이 언어 수업은 저학년이 아니라 나이가 좀 든 후에 가르치게 되어 있습니다.

02.　　라틴어나 그리스어는 일상생활에서 대화를 나누기 위해서가 아니라 고대 문학 작품을 이해하기 위해서 배웁니다. 그야말로 번역을 하기 위해서 배운다고 해야 합니다. 언제 라틴어가 필요합니까? 의사는 라틴어를 알 필요가 있습니다. 왜 오늘날에도 의사는 라틴어를 필요로 합니까? 그저 오래된 관습이 계속 이어져 왔을 뿐입니다. 현재 무슨 의미가 있는지 몰라도 관습은 계속 물려집니다.

03.　　예를 들어서 훈장이나 공로상 등 많은 것이 그렇습니다. 그런 것이 옛 시대에는 커다란 의미가 있었고, 나름대로 깊은 상징성을 띤 표시였습니다. 하지만 오늘날에는 별 의미가 없습니다. 그저 관습으로 계속 내려올 따름입니다. 의사도 마찬가지입니다. 의사는 환자가

누워 있는 침대 옆에서 환자를 불안하게 만들지 않으면서도 다른 사람과 대화를 나누고 병에 대해 이야기할 수 있었으면 합니다. 남들은 이해할 수 없는 언어를 이용하는 것이지요. 그런 경우 실제로 생각한 것을 라틴어로 번역하는 데에만 골몰하기 마련입니다. 그래서 우리가 다른 모든 살아 있는 언어에 이용하는 수업 방법을 그리스어와 라틴어를 가르칠 때는 이용하지 않습니다.

제가 영국에 와서 교육학에 관해 이야기할 때마다 항상 받는 질문이 있습니다. 바로 그 질문을 한 번 보기로 합시다.

질문 5: 체육 수업은 어떻게 해야 합니까? 예를 들어서 하키나 크리켓 등의 운동을 해도 됩니까? 해도 된다면 어떻게 해야 합니까?

01. 이런 운동을 못하게 하는 것은 발도르프 교육 방법론의 의향이 절대 아닙니다. 이런 운동은 영국인의 인생에 커다란 역할을 하고, 아이는 인생에 적응해

야 한다는 단순한 이유에서 배워야 합니다. 단, 아이를 세상에 낯선 존재로 만들어서는 안 된다는 바로 이 이유 외에 다른 의미가 있으리라는 환상에 빠져서는 안 됩니다. 운동이 아동 발달에 엄청나게 커다란 가치가 있다고 믿는다면, 잘못된 생각입니다. 운동은 아동 발달에 별로 기여하지 않습니다. 운동은 단 한 가지 가치만 있을 뿐입니다. 바로 사람들한테 인기 있는 풍조라는 것이지요. 세상의 모든 유행과 시류를 거부하면서 아이를 세상에 낯선 존재로, 고립된 존재로 만들어서는 안 됩니다. 영국 사람들은 운동을 좋아합니다. 그러니까 아이들한테 그런 운동을 가르쳐야 합니다. 어찌 보면 그런 운동이 속물적이기는 합니다. 하지만 그런 것은 내 자식에게 못 시키겠다고 속물적으로 억지를 부려서는 안 됩니다.

02.   이제 실제 질문이 있습니다. "운동을 어떻게 가르쳐야 하는가?" 이 질문에는 정말로 드릴 말씀이 별로 없습니다. 왜냐하면 운동은 성인이 시범을 보이고 따라 하도록 시키면 다소 간에 차이는 있어도 어떤 결과가 나오기 때문입니다. 그에 더해 특별히 고안해 낸 인위적인 방법은 별 전문성이 없을 테지요.

03.   체조에서 ─ 맨손이나 기구를 이용하는 신체 운

동입니다.─ 중점은, 몸의 어떤 부분을 어떤 위치에 두면 실제로 몸을 가볍고 민첩하게 만드는 데 도움이 되는지, 그에 대해 해부학이나 생리학을 근거 삼아 배워야 한다는 것입니다. 무엇이 육체를 요령 있게, 가볍게, 민활하게 만드는지를 정말로 느끼는 데 체조의 중점이 있습니다. 그 다음에는 시범에 관한 문제일 뿐입니다. 철봉이 있다고 합시다. 보통 철봉에 매달려 온갖 종류의 연습을 합니다. 그런데 가장 좋은 결과가 나오는 연습은 하지 않습니다. 다음과 같이 철봉 연습을 합니다. 일단 손을 갈고리처럼 해서 철봉에 매달립니다. 몸을 천천히 앞뒤로 왔다 갔다 흔듭니다. 그렇게 하다가 철봉 잡는 방식을 바꿉니다. 그 상태에서 몸을 앞뒤로 흔들다가 다시 처음 방식으로 철봉을 잡습니다. 철봉 위로 뛰어오르지 않고 그냥 공중에 매달려서 여러 가지 움직임을 연습하고 여러 가지 방식으로 철봉을 잡습니다. 그렇게 하면 팔 근육에 변화가 일어납니다. 그리고 그 변화가 결국 전체 유기체에 건강한 방식으로 영향을 미칩니다.

04.   어떤 내적인 근육 운동이 유기체에 건강하게 작용하는지 공부해야 합니다. 그것을 알면 어떤 움직임을 가르쳐야 하는지도 알 수 있습니다. 그 다음에는 그

냥 시범을 보이면 됩니다. 달리 말해 체조의 방법론은
결국 시범에 있습니다.

질문 6:   여러 연령대에 따른 종교 수업은 어떻게 해야 하는
지요?

01.   저는 언제나 실질적인 것을 근거로 삼아 말합니
다. 그래서 발도르프 교육학은 어떤 세계관이나 종교
를 교내에서 전파하는 교육 방법이 아니라는 것을 다
시 한번 분명히 하고 싶습니다. 그렇기 때문에 이 질문
에 있어서도 저는 발도르프 교육의 원리 속에 살아 있
는 것에 관해서만 말할 수 있습니다.

02.   독일 뷔르템베르크주는 교육법이 굉장히 열려
있는 편이라 상대적으로 별 어려움이 없이 발도르프학
교 건립을 추진할 수 있었습니다. 뷔르템베르크주 교육
부는 정말 우호적으로 우리를 대했습니다. 심지어 교원
자격증 유무와 관계없이 교사를 채용하겠다는 제 주
장을 관철할 수 있을 정도였습니다. 오늘날에는 교사가
될 만한 자질이 없는 사람도 교원 자격증만 따면 교사
가 된다고 비판을 하려는 의도는 아닙니다! 저는 그런

의도로 말하는 것이 아닙니다. 그럼에도 불구하고 교원 자격 시험에는 발도르프학교 교사가 될 조건이 부재한다는 생각입니다.

03.　　이 관계에서 실은 모든 것이 상당히 긍정적인 방향으로 해결되었습니다. 그래도 우리는 학교 건립 과정에서 단호하게 한 가지 입장을 고수해야 할 필요가 있었습니다. 발도르프학교는 방법론 학교입니다. 우리는 일단 되어 있는 그대로의 현재 사회에 감 놓아라 배 놓아라 하면서 참견하지 않습니다. 그 대신 인지학을 통해서 최상의 방법론을 가르칩니다. 그러니 우리 학교는 순수한 방법론 학교입니다.

04.　　바로 그래서 학교 건립을 준비하는 초기부터 종교 수업을 우리 학교의 수업 계획표에 포함시키지 않았습니다. 그 대신에 가톨릭 종교 수업은 가톨릭 신부에게, 개신교 종교 수업은 개신교 목사에게 맡기는 식으로 문제를 해결했습니다.

05.　　개교 후 처음 몇 해 동안 입학한 학생들 대부분은 공장 노동자들, 특히 몰트 선생님이 운영하는 공장에서 일하는 사람들의 자제였습니다. 달리 말해서 부모가 무신자거나 무종교인 아이들이었습니다. 이런 상황에서도 우리의 교육학적 양심에 따라 어떤 형태의

종교 수업이 있어야 한다고 생각했습니다. 그 아이들을 위해서 기존의 종교와는 무관한 자유 종교 수업을 하기로 결정했습니다. 자유 종교 수업을 위한 방법이 우리에게 있습니다.

06.　　　자유 종교 수업에서 가장 먼저 가르치는 것은 세상의 모든 사물을 바라보면서 느끼는 고마움입니다. 전설, 신화, 우화 속에서 돌이나 식물, 동물 등이 무엇을 하는지 이야기해 주면서 아이들이 세상의 모든 것에 내재하는 신성에 눈길을 돌리도록 하는 데에 종교 수업의 중점이 있습니다. 저는 특정한 의미에서 일종의 종교적 자연주의라 표현하고 싶습니다. 그러니까 아이의 눈높이에 맞춘 종교적 자연주의로 시작합니다.

07.　　　종교 수업에 있어서도 문제는 역시 나이입니다. 제가 앞서 언급한 나이, 그러니까 대략 9~10세 이전 아이는 신약 성서를 이해하지 못합니다. 그 나이가 되면 신약을 다루고, 그 다음에 구약으로 넘어갑니다. 달리 말해서 저학년 종교 수업에서는 일반적으로 일종의 자연 종교를 가르쳐야 한다는 것이지요. 그렇게 하는 방법론이 우리한테 있습니다. 가톨릭이나 개신교처럼 이미 믿는 종교가 있는 경우에도 그와 유사한 방식으로 수업해야 합니다. 일단은 성서 이야기에 의거하지 않고

일반적인 방식으로 가르치되 그 종교의 긍정적인 면을 이용해야 합니다.

08. 그렇게 한 다음에 9~10세 사이에 비로소 신약을 가르치고 훨씬 더 나중에, 그러니까 12, 13세가 되면 구약으로 넘어갑니다.

09. 자유 종교 수업에 있어서도 그와 비슷하게 생각해야 합니다. 우리는 가톨릭과 개신교의 종교 교육에 전혀 관여하지 않습니다. 그 수업은 신부나 목사한테 맡깁니다. 우리 학교는 자유 종교 수업을 위한 일종의 예식을 일요일마다 거행합니다. 14세에 졸업하는 아이들을 위한 특별한 예식도 따로 있습니다. 이렇게 예식으로 거행되는 것은 세월이 흐르는 동안 실질적 측면에서 저절로 생겨났습니다. 그 예식은 종교적 느낌을 심화하는 데에 매우 유익하게 작용하고, 아이들 역시 대단히 성스러운 느낌으로 받아들입니다.

10. 학부모도 그 예식에 동참할 수 있습니다. 이 자유 종교 수업이 기독교를 다시 활성화하는 데에 아주 유리하게 기여한다는 결과가 나왔습니다. 우리 발도르프학교에는 훌륭한 기독교가 존재합니다. 저학년 몇해 동안 자연주의적 종교를 통해 아이들을 천천히 준비시킨 다음에 고학년에서 그리스도의 비밀을 파악할

수 있도록 가르치기 때문입니다.

11.　　　자유 종교 수업에 참석하는 아이들이 차츰차츰
늘어서 요즘에는 교실이 넘쳐납니다. 처음에는 가톨
릭과 개신교 종교 수업에 갔던 아이들도 요즘에는 자
유 종교 수업으로 넘어옵니다. 우리는 자유 종교 수업
을 들어야 한다고 사주하지 않습니다. 종교 수업을 할
교사를 찾기도 어려울 뿐 아니라, 너무 많은 아이가 원
래의 종교 수업이 아니라 자유 종교 수업으로 넘어오면
발도르프학교는 인지학을 전파하는 학교라는 소문이
항간에 돌 우려가 있기도 해서 자유 종교 수업에 아이
들이 몰려오는 것을 그리 달갑게 여기지 않습니다. 우
리는 그런 상황이 벌어지는 것을 원치 않습니다. 오로
지 교육학적 양심에 따라 자유 종교 수업을 하기로 했
을 뿐입니다. 그런데 가톨릭과 개신교의 종교 수업을
들어야 할 아이들이 그 수업에는 가지 않고 점점 더 많
이 자유 종교 수업에 들어오려고 합니다. 우리 수업이
아이들 마음에 더 드는 게지요. 아이들이 원래의 종교
수업에 가지 않는 것은 우리 탓이 아닙니다. 아이들이
우리 수업에 들어오려 하는 것이 우리 잘못인지 저는
잘 모르겠습니다. 어쨌든 종교 수업은 이미 이야기했듯
이 원칙적으로 해당 종교의 목사나 신부가 해야 한다

는 것입니다. 우리 학교에서 어떤 종교 수업을 하는지 물어보면 저는 자유 종교 수업으로서 우리 학교에 있는 것, 그리고 제가 방금 상술한 것으로만 대리할 수 있습니다.

질문 7: 주기 집중 수업에서 각 과목을 다루는 특정 차례가 있습니까?

01.　　이는 이론이 분분하고 굉장히 많이 논의할 수 있는 문제입니다. 그런데 차례를 정해 놓고 주기 집중 수업을 한다는 것은 실질적으로 별 가치가 없다고 할 수 있습니다. 그리고 저학년에서는 어차피 과목을 바꿀 일이 별로 없습니다. 처음에는 쓰기로 시작해서 차츰차츰 읽기로 넘어가고 그 다음에 산수나 다른 과목을 가르치니까요. 이렇게 하든 저렇게 하든 결국 그런 차례는 별 의미가 없다는 것을 깨닫게 됩니다. 지금까지 경험에 따르면 주기 집중 수업 과목을 특정 차례에 따라 할 필요는 없다는 결론이 나왔습니다.

질문 8: 영국 학교에서 처음부터 외국어로 독일어와 프랑스어를 가르쳐야 하는지요? 5세와 6세에 벌써 학교에 들어오는 아이들을 위한 유치원생 반이 있는데, 그 아이들에게도 외국어 수업을 해야 하는지요?

01. 　　우선 이곳 영국에서도 처음부터 프랑스어와 독일어를 가르쳐야 하는지를 다루겠습니다. 이는 전적으로 형편과 상황에 따라 결정해야 할 문제라 생각합니다. 살아가면서 불가피하게 그 언어를 사용할 일이 있을 것이라고 생각한다면, 그 언어를 가르쳐야 합니다. 독일 발도르프학교에서는 영어와 프랑스어를 가르칩니다. 다른 언어에 비해 내적으로 훨씬 더 강렬하게 배울 수 있는 것이 프랑스어에 있습니다. 바로 특정한 수사적 느낌입니다. 그런 느낌이 있으면 굉장히 유익한데, 보통 다른 언어에서는 그것을 배울 수 없습니다. 영어는 어쨌든 국제 공용어고, 미래에는 점점 더 많이 이용될 터라 가르칩니다.

02. 　　영국 학교에서 프랑스어와 독일어를 가르쳐야 하는지는 제가 결정할 사항은 아닙니다. 전체적인 사회 상황을 보아 그 언어를 필수적으로 배워야 한다면 가르쳐야 합니다. 사실 어떤 외국어를 배우는지는 별로

중요하지 않습니다. 모국어 외에 다른 언어를 배운다는 자체가 중요합니다.

03.　　　5세와 6세에 입학하는 아이들이 있다면, ―사실 그렇게 어린 아이를 학교에 보내서는 안 되는데― 처음부터 외국어를 가르치도록 하십시오. 외국어 수업은 그 연령대에 속하고, 유익합니다. 외국어는 이갈이를 하기 전부터 조금 시작할 수 있습니다. 어차피 아이들을 유치원 반에 입학시켜야 하는 상황이라면, 다름 아니라 외국어를 가르치는 데에 이용해야 합니다. 그에 더해서 이갈이를 시작할 때까지 다른 과목을 조금 가르치면 됩니다.

　　　*

01.　　　이제 마무리를 하면서 당연하게 들릴 것을 말씀드리고 싶습니다. 여러분은 발도르프 방법론이 이곳 영국에서 결실을 맺도록 하는 데에 적극적인 관심이 있습니다. 그뿐 아니라 인지학적 방법을 따르는 학교를 건립하기 위해 열성을 바쳐 일을 합니다. 바로 이런 상황에 깊은 감명을 받았다는 것을 밝히고 싶습니다. 여러분이 슈투트가르트 교사 세미나에서 배운 것,

이곳 영국 등 여러 다른 강좌**17**에서 들은 것, 그리고 제가 이 자리에서 마지막으로 짤막한 경구처럼 드린 의견, 이 모든 것이 결실을 맺으리라는 희망을 여러분 마음에 심어 주고 싶습니다. 이곳 영국에 인지학적 방법론에 따른 훌륭한 학교를 건립하기 위해 그 모든 것을 이용할 수 있기 바랍니다.

02.   단, 첫 단추를 제대로 끼워야 한다는 것을 명심하십시오. 여러분의 첫 번째 시도가 진정한 의미에서 이루어진다는 데에 많은 것이 달려 있습니다. 그렇지 않으면 적잖은 것들이 소실됩니다. 왜냐하면 첫 단추에 따라 나머지 단추를 끼워야 하기 때문입니다. 중점은 첫 시도가 세상이 다음과 같이 인정하는 방식으로 이루어진다는 데에 있습니다. "발도르프학교는 추상적이고 초보적인 교육 개혁을 하려는 사람들의 계획에 푹 빠져 있지 않다. 교육학의 초보자가 만들어 낸 것이 아니라, 인간 본성을 진정으로 파악함으로써 생겨

---

17 1923년 8월 5일~17일까지 영국 일클리에서 행한 총 14회 강의 『교육 예술의 영혼-정신적 근본력. 교육과 사회적 삶 속 정신적 가치』(GA305), 1922년 8월 16일~22일까지 영국 옥스포드에서 행한 총 13회 강의 『현재의 정신적 삶과 교육』(GA307)

난 것이며, 교육 예술로 전환되어야 하는 것이다. 오늘 날 난관에 처한 인류 문명이 다른 많은 것과 함께 촉구 하는 것이다."

03.　　　이곳 영국에서 인지학적 방법에 따라 학교를 건 립하기 위한 길을 떠나는 여러분께 이것을 덕담으로 전하고 싶습니다.

옮긴이의 글

보통 '토키 강의'로 불리는 이 강의는 발도르프학교 건립을 준비하는 영국 초등학교 교사를 대상으로 1924년 8월에 이루어졌다. 한 달 후인 9월 말경에 루돌프 슈타이너가 병상에 든 것을 생각해 보면, 교통이 좋은 요즘에도 스위스 도르나흐에서 하루 온종일 걸리는 영국 토키까지 가서 여러 날 강의를 했다는 게 새삼스럽다. 당시 과로로 지친 몸에도 그 여정을 마다하지 않았다니, 마침내 영국에서도 발도르프학교 건립이 추진되어 깊은 충족감에 사로잡힌다는 첫날의 말에 진심이 가늠된다. 결국 이 강의는 교육학을 주제로 한 것으로는 마지막이 되었다. 1919년 8월 최초의 발도르프학교 건립을 앞두고 교사 양성 과정을 실시했으니, 거의 정확하게 5년이 흐른 후 이 강의를 한 것이다. •

현재 우리는 필요에 따라 모든 강의록을 두서없이 읽고 공부할 수 있어서 이런 연도에 무슨 의미가 있는지 별로 실감 나지 않을 수도 있다. 그런데 1919년 교사 양성 과정에서는 '이렇게 하면 이렇게 될 것이라'는 식으로 가정법을 이용해 문자 그대로 '이론'만 전달할 수 있었을 뿐이라는 점을 염두에 두면, 이 강의가 조금 달리 들릴 것이다. 그 당시에는 대부분의 사람이 루돌프 슈타이너가 인지학을 근거로 이제는 교육까지 들먹이며 이상한 세계관을 지닌 학교를 세운다고 생각했다. 호기심에 찬 의혹, 경시와 무시, 질투, 혐오감 등 인간 영혼생활의 부정적 요소로 인한 외적 장애를 극복하고 발도르프 교육의 진가를 보여 주어야 한다는 내적 부담이 이만저만 아니었을 것이다. 물론 그 모든 우려는 단기간에 불식되었다. 발도르프 교육은 공허한 이론이 아니라 진정한 인간 인식을 근거로 하는 실질적 교육 방법이라는 것을 실천으로 보여 주었기 때문이다. 이 강의에서 루돌프 슈타이너는 슈투트가르트 발도르프학교 교장으로서 교사 회의를 주재하는 등 교내 사항 전반을 조망한 5년간의 경험을 담백한 형태로 이야기하면서 『인간에 대한 보편적인 앎』과 『발도르프 교육 방법론적 고찰』**18**을 다른 각도에서 보충하고 사실상의 중점을 더 명료하게 부각한다.

이 책을 번역하면서 옮긴이에게 유별나게 묵직하게 다가온 단어가 있다. 루돌프 슈타이너가 교육학 강의에서 가장 많이

---

18 옮긴이 『인간에 대한 보편적인 앎』(GA293, 밝은누리, 2007)
『발도르프 교육 방법론적 고찰』(GA294, 밝은누리, 2009)

쓰는 단어다. '예술'. 발도르프 교육계와 인지학계 전체에서 수시로 남발되는 터라 새털처럼 가벼워진 단어가 뜬금없이 묵직하게 느껴지는 것은 예술적으로 인간을 교육하지 않으면 세상이 어떻게 될 수 있는지를 현재 전세계적 문젯거리인 '코로나19 팬데믹'으로 극명하게 경험하고 있기 때문이다. 이른바 '코로나 바이러스'가 치명적인 병원체인지 아닌지는 거론 주제가 아니다. 옮긴이가 말하고 싶은 것은, 현재까지 약 2년 반 동안 이어지고 있으며 앞으로 몇 년이 더 지속될지 알 수 없는 '코로나19 팬데믹'에 부동의 바닥으로 깔려 있는 것은 무엇인가 하는 것이다. 몇 주 전에 유로 연합에서 팬데믹 대책 회의가 있었는데, 무대 뒤에 걸린 슬로건이 그것을 분명하게 보여 주었다. "Science will win!" 이는 제약 회사 '화이자'의 슬로건이기도 하다. 팬데믹이 시작된 이래 항간에 가장 자주 회자된 말은 무엇인가? "과학을 따르라!" 저명 과학자들이 그렇게 말하니 일반인은 그냥 믿고 따르라 강요당하지 않는가? 정부가 인정하는 특정 과학자와 다른 생각을 말하면 무식한 사람으로 취급되지 않는가? 독일의 경우 그런 사람은 학계 권위자라 해도 사회 안전을 위협하는 자로 낙인 찍혀 퇴출당하고, 그것도 모자라 은행 구좌가 폐기되고 가택 수색을 받는 등 정치적 탄압까지 겪는 실정이다.

오늘날에는 모든 학문 분야가 자연 과학적 방법에 따라 연구된다. 이는 기정사실이다. 자연 과학은 그 자체로는 죽은 물질인 자연을 수량에 따라 측정하고 연구하는 학문이다. 그러므로 자연 과학적 방법으로 인간과 사회에 관해 연구하려면 생명과 영혼과 정신이 깃든 인간을 물질로 축약해서 다루는 수밖에 없다. 지난 수백 년간 모든 분야에서 그렇게 했고, 그 결과 물질로 축약된 인간은 오늘날 일반 개념이 되었을 뿐 아니라 감성과 의지 영역까지 지배하는 상태다. 이는 오늘날 사람들이 자신을 육체와 동일시하며 육체의 안위를 위해 온갖 노력을 한다는 것에서 명백하게 드러난다. 문제는 물질의 차원으로 끌어내려진 인간은 정신의 능동성을 잃어서 완전히 수동적 존재가 된다는 것이다. 그렇다 보니 외부의 어떤 병원체로 병들어 죽는다는 생각을 불변의 진리인 양 당연시하고, 세상은 물질일 뿐이니 죽으면 어떻게 될지 알 수 없어서 공포에 떨며 온갖 비합리적 조처도 '과학이라는 미명 하에' 심지어 일종의 자부심까지 가지고 기꺼이 감내한다.

현 상황은 지난 수백 년 동안 자연 과학이 모든 분야에서 절대 권위의 종교적 위상을 얻었다는 것을 드러낼 뿐이다.

자연 과학적 방법은 그 원리상 모든 것을 일률적으로 취급하고 기계화하도록 되어 있다. 그런데 인간은 각자가 '그 자신만의 종'이다. 그러므로 과학의 승리는 곧 인류의 패배를 의미한다. 지상에 인간이 더 이상 인간답게 살아갈 수 없게 될 것이라는 말이다. '코로나 팬데믹 조처'가 바로 그런 일률적 기계화를 보여 주지 않는가? 누구나 마스크를 착용해야 하고 어디서나 핸드폰을 꺼내 들고 이른바 '백신 접종'을 했는지 보여 줘야 하지 않는가? 마스크나 핸드폰은 과학과 발달이라는 가면으로 치장되기 때문에 절대 다수가 좋은 것으로 여기지만 실은 현대판 유니폼, 현대판 제복일 뿐이다. 그런데 이에 그치지 않고, 단 한 명도 특정 전염병에 걸려서는 안 된다는 기조로 수백만 명이 거주하는 도시 전체를 몇 주씩 봉쇄하는 국가도 있으니, 이대로 계속 간다면 어떻게 인간다운 삶이 가능할 것인가?

진정 인간다운 삶은 권위를 신봉하는 수동적 인간이 아니라 정신적 개인의 자유로운 사고를 통해 가능해진다. 그리고 독자적으로 사고할 수 있는 개인을 양성하는 것은 예술적 교육, 즉 개인의 자유를 전제하는 **인지학적 교육 예술**을 통해서일 뿐이다. 바로 이 관점에서 **예술가로서 교사, 예술로서 교육**을 그대로의 의미와 무게로 배우고 이해해서 실천하는 것이 발도르프 학교 교사의 소명이 되어야 할 것이다.

2013년에 『젊은이여, 앎을 삶이 되도록 일깨우라!』**19**를 낸 이래 9년 만에 교육학 강의서를 다시 출간하게 되었다. 〈루돌프 슈타이너 원서 번역 후원회〉 회원들과 이 기쁨을 나누고 싶다. 푸른씨앗 출판사 사람들, 특히 교정을 봐주신 최수진 님께 고마운 마음을 전한다.

2022년 5월
독일 에르푸르트에서

최혜경

19　옮긴이 『젊은이여, 앎을 삶이 되도록 일깨우라!』(GA217, 밝은누리, 2013)

함께 읽으면 좋은 푸른씨앗_책

신지학_
초감각적 세계 인식과 인간 규정성에 관하여(GA9)

루돌프 슈타이너 지음 **최혜경** 옮김

304쪽 20,000원

1904년 초판. 인지학 기본서로 꼽힌다. "이렇게 인간은 세 가지 세계의 시민이다. 신체를 통해 지각하는 세계에 자신의 신체를 통해서 속한다. 인간은 영혼을 통해서 자신의 세계를 구축한다. 이 두 세계를 초월하는 세계가 인간에게 정신을 통해서 드러난다. 감각에 드러나는 것만 인정하는 사람은 이 설명을 본질이 없는 공상에서 나온 창작으로 여길 것이다. 하지만 감각 세계를 벗어나는 길을 찾는 사람은, 인간 삶이 다른 세계를 인식할 때만 가치와 의미를 얻는다는 것을 머지않아 이해하도록 배운다."

인간 자아 인식으로 가는 하나의 길(GA16)

루돌프 슈타이너 지음 **최혜경** 옮김

134쪽 14,000원

인간 본질에 관한 정신과학적 인식, 8단계 명상. 『고차세계의 인식으로 가는 길』의 보충이며 확장이다. "이 책을 읽는 자체가 내적으로 진정한 영혼 노동을 하도록 만든다. 그리고 이 영혼 노동은 정신세계를 진실하게 관조하도록 만드는 영혼 유랑을 떠나지 않고는 견딜 수 없는 상태로 차츰차츰 바뀐다."

내 삶의 발자취(GA28)

루돌프 슈타이너 지음 **최혜경** 옮김

760쪽 35,000원

루돌프 슈타이너가 직접 어린 시절부터 1907년까지 인생 노정을 돌아본 글. <인지학 협회>가 급속도로 성장하자 기이한 소문이 돌기 시작하고 상황을 염려한 측근들 요구에 따라 슈타이너가 주간지에 자서전 형식으로 78회에 걸쳐 연재하였다. 인지학적 정신과학의 연구 방법이 어떻게 생겨나 완성되어 가는지 과정을 파악하는 데 중요한 자료이다. [eBOOK]

죽음, 이는 곧 삶의 변화이니!(GA182)

루돌프 슈타이너 강의　최혜경 옮김

_천사는 우리의 아스트랄체 속에서 무엇을 하는가? (90쪽)

_어떻게 그리스도를 발견하는가? (108쪽)

_죽음, 이는 곧 삶의 변화이니! (90쪽)

3권세트 18,000원

근대에 들어 인류는 정신세계에 대한 구체적인 관계를 완전히
잃어버렸지만, 어떻게 정신세계가 여전히 인간 사회에 영향을
미치는지를 보여 준다. 세계 대전이 막바지에 접어든 1917년
11월부터 1918년 10월까지 루돌프 슈타이너가 독일과 스위스에서
펼친, 오늘날 현실과 직결되는 주옥 같은 강의

꿀벌과 인간(GA351)

루돌프 슈타이너 강의　최혜경 옮김

233쪽 20,000원

괴테아눔 건축 노동자를 위한 강의 중 '꿀벌' 주제에 관한 강의
9편 모음. 양봉가의 질문으로 시작되는 이 강의록에서 노동자들의
거침없는 질문에 답하는 루돌프 슈타이너를 만날 수 있다. 꿀벌과
같은 곤충과 인간과 세계의 연관성을 설명하고, 만일 이 연관성을
간과하고 양봉과 농업이 수익성만 중시한다면 미래에 어떤 일이
일어날 수 있는지 경고한다. 발도르프 교육 100주년 기념 번역 출간

발도르프학교의 아이 관찰 _6가지 체질 유형

미하엘라 글렉클러 강의　하주현 옮김

학교 보건 문제에 관한 루돌프 슈타이너와 교사 간의 논의(GA300b)

최혜경 옮김

188쪽 12,000원

괴테아눔 의학분과 수석을 맡고 있는 미하엘 글렉클러가 전 세계
발도르프학교 교사, 의사, 치료사를 대상으로 한 1989년 강의.
학령기 아이들이 갖는 '6가지 체질 유형'을 소개하고, 아이를
관찰하는 방법과 치유 방법을 제시한 강의록이다. 이 강의의
바탕이 되는 <학교 보건 문제에 관한 루돌프 슈타이너와 교사
간의 논의>(1923년) 기록을 함께 엮었다.

12감각

392쪽 28,000원

알베르트 수스만 강의 **서유경** 옮김

인간의 감각을 신체, 영혼, 정신 감각으로 나누고 12감각으로 분류한 루돌프 슈타이너의 감각론을 네덜란드 의사인 알베르트 수스만이 쉽게 설명한 6일간의 강의. 감각을 건강하게 발달시키지 못한 오늘날 아이들과 다른 형태의 고통과 알 수 없는 어려움에 시달리고 있는 어른을 위해, 신비로운 12개 감각기관의 의미를 자세히 설명한 이 책에서 해답을 찾고자 하는 독자들이 더욱 많아지고 있다. 『영혼을 깨우는 12감각』 개정판

인생의 씨실과 날실

336쪽 25,000원

베티 스텔리 지음 **하주현** 옮김

너의 참모습이 아닌 다른 존재가 되려고 애쓰지 마라. 4가지 기질, 영혼 특성, 영혼 원형을 한 인간의 개성을 구성하는 요소로 이해하고, 건강한 영혼 발달을 위한 길을 모색한다. 미국 발도르프 교육 기관에서 30년 넘게 아이들을 만나 온 저자의 베스트셀러. "타고난 재능과 과제, 삶을 대하는 태도, 세상을 바라보는 눈은 우리도 깨닫지 못하는 사이에 인생에서 씨실과 날실이 되어 독특한 문양을 만들어 낸다."

동화의 지혜

412쪽 30,000원

루돌프 마이어 지음 **심희섭** 옮김

그림 형제 동화부터 다른 민족의 민담까지 심오한 인간 본성과 법칙으로 동화 속 인물이 성숙해 가는 과정과, 상상적 인식을 가진 아이가 지성이 만든 고정된 개념, 저급한 감각 세계를 넘어서는 것을 발견할 수 있다. 어린 시절에 동화를 들려주는 것의 중요성을 깨닫고, 가슴 깊은 곳에 순수한 아이 영혼이 되살아남을 느낄 수 있을 것이다.

발도르프 교과 시리즈

8년간의 교실 여행_발도르프학교 이야기

토린 M.핀서 지음 청계자유발도르프학교 옮김

담임 과정 8년 동안 교사와 아이들이 함께 성장한 과정을 담은 감동 에세이. 한국의 첫 발도르프학교를 시작하며 함께 공부하고 만든 책. 학교가 나아가는 길목에서 아이들과 함께 변화를 꿈꾸는 모든 분과 함께 나누고자 한다.

264쪽 14,000원

발도르프학교의 수학_수학을 배우는 진정한 이유

론 자만 지음 하주현 옮김

아라비아 숫자보다 로마 숫자로 숫자 세기를 시작하는 것이 좋다, 사칙 연산을 통해 도덕을 가르친다, 사춘기 시작과 일차 방정식은 무슨 상관이 있을까? 세상의 원리를 알고 싶어 눈을 반짝거리던 아이들이 17세쯤 되면 왜 수학에 흥미를 잃는가. 40년 동안 발도르프학교에서 수학을 가르쳐온 저자가 수학의 재미를 찾아 주는, 통찰력 있고 유쾌한 수학 지침서 [eBOOK]

400쪽 25,000원

발도르프학교의 미술 수업_1학년에서 12학년까지

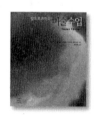

마그리트 위네만·프리츠 바이트만 지음 하주현 옮김

발도르프 교육의 중심인 예술 수업은 아이들이 잠재력을 꽃피우며 조화롭게 성장하도록 하여 더 창의적으로 어려운 길을 잘 헤쳐 나가도록 한다. 이 책은 슈타이너의 교육 예술 분야를 평생 연구한 율리우스 헤빙과 그의 제자 위네만 박사, 프리츠 바이트만이 소개하는 발도르프 교육의 미술 영역에 관한 자료이다. 저학년과 중학년(1~8학년)을 위한 회화와 조소, 상급 학년(9~12학년)을 위한 흑백 드로잉과 회화에 대한 설명과 그림, 괴테의 색채론을 한 단계 더 발전시킨 루돌프 슈타이너의 색채 연구를 만나게 된다.

272쪽 30,000원

형태그리기 1~4학년

에른스트 슈베르트·로라 엠브리-스타인 지음 하주현 옮김

형태그리기는 발도르프 교육만의 특징적인 과목으로, 새로운 방식으로 생각하는 힘을 키우기 위해 제안되었다. 수업의 주된 목적은 지성을 건강하게, 인간적인 방식으로 육성하고 발달시키는 것이다. 배움을 시작하는 1학년부터 4학년까지 학년별 형태그리기 수업에 지침서가 되는 책이다.

56쪽 10,000원

맨손 기하_형태그리기에서 기하 작도로

에른스트 슈베르트 지음 푸른씨앗 옮김

최초의 발도르프학교 학생이자 수십 년 교사 경험을 한 저자는 미국 발도르프학교 담임 교사를 위한 8권의 책(기하 4권, 수학 4권)을 집필하였으며, 현대 수학 교육에서 소홀히 다루고 있는 기하 수업의 중요성을 일깨우기 위해 애쓰고 있다. 3차원 공간을 파악하기 시작하는 4~5학년에서 원, 삼각형, 사각형 등 형태의 특징을 알고 비교하며, 서로 어떤 관계가 존재하는지 찾는 방식을 배운다.

104쪽 15,000원

투쟁과 승리의 별 코페르니쿠스

하인츠 슈폰젤 지음 정홍섭 옮김

교회의 오래된 우주관과 경직된 천문학에 맞서 혁명을 실현한 인물, 코페르니쿠스의 전기 소설. 천문학의 배움과 연구의 과정을 중심으로, 어린 시절부터 필생의 역작 『천체의 회전에 관하여』를 쓰기까지 70년에 걸친 삶의 역정을 사실적으로 묘사한다. 15세기의 유럽 모습이 담긴 지도와 삽화, 발도르프학교 7학년 아이들의 천문학 수업 공책 그림이 아름답게 수놓아져 있다.

236쪽 12,000원

재생 종이로 만든 책

푸른씨앗의 책은 재생 종이에 콩기름 잉크로 인쇄합니다.

겉지_ 한솔제지 인스퍼 에코 210g/m²
속지_ 전주 페이퍼 Green-Light 80g/m²
인쇄_ (주)도담 프린팅 ┃ 031-945-8894
본문 글꼴_ 윤서체_윤명조 700 10.2 Pt
책 크기_ 127*188